Amanda Stevens

Parce qu'elle a grandi dans une petite ville de l'Arkansas, Amanda Stevens aime situer ses intrigues dans cet environnement chaleureux et paisible, qu'elle définit comme une « toile de fond idéale pour le suspense, lorsque le familier bascule soudain dans le drame et la peur ».

C'est en 1985 qu'elle a signé le contrat pour la publication de son premier livre avec Harlequin — le jour même où elle apprenait qu'elle était enceinte de jumelles. La force de ses romans, où se mêlent avec art, mystère, suspense et émotion, a fait d'elle l'une des finalistes pour l'attribution du prix RITA Award.

D0525555

Dans la peau d'un autre

AMANDA STEVENS

Dans la peau d'un autre

INTRIGUE

*éditions*Harlequin

*Cet ouvrage a été publié en langue anglaise
sous le titre :*
LOVER, STRANGER

Traduction française de
CATHERINE BERTHET

HARLEQUIN®

est une marque déposée du Groupe Harlequin
et Intrigue® est une marque déposée d'Harlequin S.A.

Photos de couverture
Grille : © PHOTODISC / GETTY IMAGES
Homme : © DARREN ROBB / GETTY IMAGES

*Toute représentation ou reproduction, par quelque procédé que ce soit, constituerait
une contrefaçon sanctionnée par les articles 425 et suivants du Code pénal.*
© 1999, Marilyn Medlock Amann. © 2004, Traduction française : Harlequin S.A.
83-85, boulevard Vincent-Auriol, 75013 PARIS — Tél. : 01 42 16 63 63
Service Lectrices — Tél. : 01 45 82 47 47
ISBN 2-280-17044-2 — ISSN 1639-5085

1.

Haletant, les poumons en feu, il se lança dans une course éperdue à travers la jungle pour échapper à ses poursuivants. La cime des arbres se découpait dans le ciel clair, illuminé par la pleine lune. Il vit qu'il avait laissé dans son sillage des branches cassées, de l'herbe piétinée. Ces traces le feraient repérer en un rien de temps.

Des milliers d'étoiles minuscules perçaient l'immensité du ciel. Il fit une pause pour reprendre son souffle et chercha la plus brillante d'entre elles. L'étoile du Nord, celle qui lui permettrait de se guider jusqu'au village. Là il trouverait peut-être un téléphone ou un moyen de transport pour quitter cet enfer. Si seulement il pouvait atteindre la frontière…

Le grondement d'un moteur se fit entendre au loin, vers l'ouest. Peu à peu, insensiblement, le bruit se rapprocha. Un puissant faisceau de lumière blanche balaya le terrain et passa à côté de lui, le manquant de peu. Quelques secondes plus tard il y eut des cris surexcités. Des rires. Ils avaient retrouvé sa trace. Les tueurs approchaient et visiblement cette chasse à l'homme leur plaisait.

Le cœur battant, il s'enfonça dans les feuillages luxuriants. Les branches basses lui fouettèrent le visage et les bras. Des racines gigantesques s'enroulèrent autour de ses chevilles et le firent trébucher. Des yeux brillants, couleur d'ambre, de rubis et d'émeraude percèrent l'obscurité et le fixèrent d'un air menaçant. Chaque pas faisait naître un nouveau danger, une nouvelle terreur. Seigneur, comme il haïssait la jungle !

Il parvint finalement dans une clairière et s'aperçut qu'il se tenait au bord d'un précipice vertigineux. Une brume épaisse flottait au-dessus de la rivière qui cascadait en gros tourbillons entre les rochers accidentés, à une centaine de mètres au-dessous de lui. Devant, il y avait le ravin profond qui plongeait dans le vide. Derrière lui, les cris excités de ses poursuivants qui venaient d'apercevoir sa silhouette se découpant dans un rayon de lune.

Il n'y avait qu'une solution : replonger dans la jungle pour se mettre à couvert. Mais avant qu'il ait pu reprendre sa course éperdue, un coup de feu retentit dans le canyon et le bruit fut presque aussitôt absorbé par le brouillard. La scène était si surréaliste que l'espace d'un instant il demeura comme suspendu au bord du précipice, ne sachant que faire. Puis il sentit une vive brûlure dans son côté droit. Il baissa les yeux, vit le sang et comprit alors seulement qu'il avait été touché. Il ne parviendrait pas à atteindre le village. Et encore moins la frontière.

Lentement, comme dans un film au ralenti, il bascula en arrière et fut happé par le vide et le brouillard.

— Docteur Hunter ? Vous m'entendez ?

Il ouvrit les yeux et vit un visage de femme penché sur lui. Elle était entièrement vêtue de blanc et semblait auréolée de clarté. « Un ange », songea-t-il. Il ne s'en était donc pas sorti.

— Docteur Hunter ? répéta l'ange.

Il cligna des yeux. Etait-ce à lui, qu'elle parlait ? Elle le regardait dans les yeux en souriant. Mais ce nom, qu'elle répétait… Ce Dr Hunter, qui était-ce ?

— Il reprend conscience, docteur Kendall, dit-elle en jetant un coup d'œil par-dessus son épaule.

Un homme apparut à côté d'elle. Lui aussi paraissait inquiet. Mais il ne souriait pas et son regard était assombri par une expression soupçonneuse.

— Eh bien, eh bien, dit-il. Content de voir que tu as rejoint le monde des vivants, Ethan. Tu nous as fait une satanée frayeur, ce soir.

Ethan ? Qui était Ethan ?

Il ferma les yeux un instant pour s'éclaircir les idées. De toute évidence, il se trouvait dans un hôpital. Ces gens semblaient le connaître, mais il ne les avait jamais vus. Il n'avait jamais entendu parler non plus d'un homme répondant au nom d'Ethan Hunter. Il devait y avoir une erreur, mais…

Un léger accès de panique s'insinua en lui et demeura un instant comme en suspens dans son esprit. S'il n'était pas Ethan Hunter, *qui diable était-il ?*

Il réfléchit longuement à cette question, sans trouver de réponse.

— Comment tu te sens, mon vieux ? s'enquit le Dr Kendall en le dévisageant.

Le médecin l'appelait « mon vieux ». Et ils se tutoyaient. Cela signifiait donc qu'ils étaient amis ?

Pourtant, le regard de Kendall n'avait rien d'amical. En dépit de ses manières familières et décontractées, il y avait dans les yeux de cet homme une lueur d'hostilité déroutante.

Il considéra le médecin en fronçant les sourcils, dans un effort de concentration.

— Je me sens… en dehors du coup, en quelque sorte.

Il fut lui-même choqué par le son rocailleux de sa voix. L'effort que lui demandèrent ces quelques mots lui enflamma la gorge. Il porta une main à son cou et grimaça de douleur. Sa peau était sensible, irritée.

Kendall dut saisir un éclair de frayeur dans son regard, car il déclara :

— Ne t'affole pas. Tes cordes vocales et ton larynx ont été mis à rude épreuve, mais il n'y a rien de grave. N'essaye pas de parler plus qu'il n'est nécessaire.

Ethan tenta de ravaler son mouvement de panique et d'ignorer la douleur qui lui martelait le crâne.

— Que s'est-il passé ?

— Nous espérions que tu pourrais nous le dire.

Il réfléchit un moment avant de répondre à voix lente :

— J'ai fait un rêve bizarre. Je fuyais dans la jungle… quelqu'un voulait me tuer.

Kendall haussa les épaules avec désinvolture.

— Cela ne m'étonne pas, après la secousse que tu as subie. Tu as une mine épouvantable, mais on peut dire que tu as de la veine d'être encore vivant.

Une mine épouvantable…

Brusquement, il se rendit compte qu'il ne connaissait pas son propre visage. A quoi ressemblait-il ? Il porta une main à sa joue. Là aussi, sa peau était irritée, comme écorchée. Et on lui avait mis un pansement sur le crâne.

Jetant un regard circulaire dans la pièce, il chercha un miroir mais n'en vit aucun. C'était aussi bien. Des douleurs si intolérables lui traversaient le crâne, qu'il n'était pas sûr d'être prêt à voir la tête qu'il avait en ce moment.

— Que faisais-tu ce soir à la clinique ? demanda brusquement Kendall d'un ton nerveux.

— Je… ne sais plus très bien…

Ethan ferma les yeux et essaya de se rappeler ce qui s'était passé. En vain. Rien ne lui revint à la mémoire. Il lutta contre le sentiment de panique oppressant qui menaçait de le submerger.

Qui diable était-il ?

Garde ton calme. Il faut que tu comprennes ce qui se passe. Ta vie est peut-être en jeu.

Il prit une longue inspiration. Très bien… Il avait simplement besoin de quelques minutes pour mettre de l'ordre dans ses idées et trouver ses repères. Il n'y avait aucune raison de s'affoler. Il avait subi une violente commotion. Or, il arrivait souvent qu'on perde momentanément la mémoire après ce genre d'accident. Peut-être pouvaient-ils lui donner un médicament quelconque, qui…

Mais s'il était médecin, s'il était bien le *docteur* Ethan Hunter, il devait savoir tout cela, n'est-ce pas ? Il devait être capable de soigner une commotion cérébrale et une amnésie temporaire. Il pouvait se soigner lui-même.

Et pourtant, non. En ce moment, il ne savait plus rien. La panique refit surface, comme une vague puissante.

Le Dr Kendall lui toucha le bras. Ethan ne put réprimer un léger mouvement de répulsion. Cet homme ne lui plaisait pas. Pourquoi ne parvenait-il pas à avoir suffisamment confiance en lui pour lui avouer qu'il était amnésique ?

Comme s'il avait lu dans ses pensées, Kendall darda sur lui un regard acéré.

— Les policiers attendent dans le couloir, Ethan. Nous les avons tenus à l'écart aussi longtemps que nous l'avons pu. Mais il y a un inspecteur qui ne veut pas te lâcher depuis qu'on t'a amené ici. Te sens-tu la force de lui parler ?

Lui parler de quoi ? Ethan aurait bien voulu le savoir. Mais il ne posa pas la question. Pour une raison encore obscure, il lui sembla très important de ne pas se trahir. Il fallait impérativement qu'il reste calme et qu'il contrôle la situation… du moins, tant que les circonstances le lui permettraient.

Mais bon sang, quelles étaient donc les circonstances ? Pourquoi ne parvenait-il pas à se rappeler sa propre identité ?

La porte de la chambre s'ouvrit. Un homme vêtu d'un affreux costume vert entra. Il avait une cinquantaine d'années, des épaules tombantes et des cheveux poivre et sel enduits de brillantine. Son visage était creusé de rides profondes. Quant à ses yeux fatigués, ils portaient la marque d'années de service difficiles et trahissaient aussi un goût prononcé pour la boisson.

Il se dirigea droit vers le lit d'Ethan, tira une chaise à lui et s'assit. Après avoir sorti de la poche intérieure de sa veste un crayon et un carnet noir, il humecta du bout de la langue la mine du crayon, griffonna rapidement quelques notes et, sans lever la tête, demanda :

— Vous êtes donc le Dr Hunter ?

Ethan garda le silence.

— Moi, je suis l'inspecteur Pope, du HPD.

HPD ? Ethan fouilla dans sa mémoire. S'agissait-il du département de police de Honolulu ? De Harrisburg ? De Hartford ? De Houston ? Bon sang, *où* était-il ?

L'accent nasillard de l'inspecteur était caractéristique. Ils se trouvaient probablement à Houston. Etait-ce dans cette ville qu'il vivait ?

Ethan leva les yeux et croisa le regard de Pope pour la première fois. Il eut aussitôt l'intuition que le vague air d'ennui qu'arborait le vieil inspecteur n'était qu'une ruse. Cet homme était aussi intelligent que malin.

« Tiens-toi sur tes gardes », se dit-il. Pourquoi devait-il se méfier de la police ? Il n'en avait aucune idée. Etait-ce parce que dans son rêve, les autorités mexicaines le pourchassaient à travers la jungle ? Sans doute. C'était probablement pour cela aussi que sa méfiance s'était éveillée dès que l'inspecteur avait pénétré dans la chambre.

— J'ai beaucoup entendu parler de vous, dit Pope. Il y a un mois ou deux, ma femme m'a montré un article écrit à votre sujet dans le journal. Il y avait une belle photo de vous prise dans votre cabinet. Mais vous avez une tête un peu différente aujourd'hui.

Ethan songea aux pansements qui lui enveloppaient le crâne, aux hématomes et aux éraflures dont son visage et son cou devaient être couverts.

— Oui, j'imagine, dit-il.

Pope tapota son carnet du bout de son crayon. Le bruit était à peine audible, mais Ethan le trouva irritant.

— Cet article parlait de la clinique que vous avez fait construire dans la jungle mexicaine où vous passez plusieurs semaines par an, afin de vous occuper des gosses défavorisés. C'était un reportage très flatteur pour vous, dans l'ensemble. Ma femme a été impressionnée.

L'inspecteur cessa de tapoter son carnet et ajouta brusquement :

— Et quand je vais lui dire que je vous ai rencontré ce soir, elle n'en reviendra pas.

— Oui, bien sûr, répliqua Ethan, ne sachant trop que répondre.

Sa gorge le faisait terriblement souffrir. Il tendit la main pour attraper un verre d'eau sur sa table de chevet. Presque instantanément l'infirmière, « son ange gardien », comme il la surnommait en lui-même, se matérialisa à côté de lui et l'aida à boire. Elle pressa sa main sur celle d'Ethan qui tenait le verre. Ses doigts étaient doux, caressants. Le contact lui parut intime.

Quand Ethan se renversa de nouveau contre ses oreillers, il s'aperçut que Pope l'observait. Rien dans ce bref échange entre l'infirmière et lui ne lui avait échappé. Ethan en aurait mis sa main au feu.

— Elle envisageait justement de s'adresser à vous, reprit Pope. Je veux parler de ma femme, précisa-t-il en pressant un doigt sur son nez et en le poussant de côté. Elle a une cloison nasale fortement déviée. Incroyable. Il y a des années qu'elle veut se faire refaire le nez.

Etait-il donc chirurgien esthétique ? A vrai dire, il ne s'en serait jamais douté.

Son regard tomba presque par hasard sur ses mains, posées à plat sur le drap. Il y avait du sang séché sous ses ongles et il portait une alliance à l'annulaire gauche.

Son cœur se mit à battre un peu plus fort. S'il était marié, où donc était sa femme ? L'avait-on contactée ? N'aurait-elle pas dû se trouver à son chevet, dans un moment pareil ?

Comme si elle avait deviné ses pensées, l'ange-infirmière entra de nouveau dans son champ de vision et lui adressa un petit clin d'œil complice.

Pope parut un instant déstabilisé par le sourire éblouissant de l'infirmière. Il se ressaisit rapidement et déclara :

— Ecoutez, excusez-moi, mais j'aimerais parler au Dr Hunter en tête à tête.

Kendall opina d'un bref hochement de tête et se tourna vers Ethan.

— Le Dr Mancetti a promis de repasser ce soir pour voir comment tu vas. En attendant, si tu as besoin de quoi que ce soit, je suis là.

— Super, répondit Ethan.

Il ignorait totalement qui était le Dr Mancetti et à vrai dire il n'avait pas la moindre intention de faire appel à Kendall. L'ange se pencha sur son lit, tapota son oreiller et posa une main rassurante sur son bras.

— Je serai de service ce soir, lui confia-t-elle dans un chuchotement rauque. Si vous avez besoin de quelque chose docteur Hunter, *de quoi que ce soit,* n'hésitez pas à m'appeler.

— Merci, murmura-t-il.

L'infirmière se tourna et sortit de la chambre en balançant gracieusement ses hanches étroitement moulées dans son uniforme blanc. Ethan la suivit du regard. L'inspecteur Pope parut lui aussi fasciné par ce mouvement sensuel. Pendant un moment aucun des deux hommes n'articula un mot. Puis l'inspecteur sortit de sa rêverie et dit :

— Le personnel semble très soucieux de votre bien-être, docteur. Vous devez être populaire, ici.

Son regard goguenard se posa sur l'alliance qu'Ethan portait à la main gauche. Ethan résista à l'envie de cacher ses mains sous le drap.

Pope sembla ensuite s'absorber dans la lecture de ses notes. Puis, avec une nuance de lassitude qui ne parut pas vraiment sincère à Ethan, il déclara :

— Autant en finir rapidement avec notre affaire. J'aimerais terminer mon rapport et rentrer chez moi avant minuit. Quant à vous, je pense que vous avez besoin de repos.

Il marqua une pause et demanda d'un ton sec :

— Pouvez-vous me dire ce qui s'est passé ce soir ?

Ethan haussa les épaules.

— Je crains que tout cela ne soit encore un peu vague.

Avec un geste en direction de sa tête, il ajouta :

— La commotion, je pense…

Pope acquiesça.

— J'ai parlé à votre médecin, il y a un moment. Elle m'a confié qu'il faudrait quelques heures, ou même quelques jours, avant que vous ayez les idées tout à fait claires. Pour l'instant, contentons-nous de ce que vous vous rappelez.

Rien, songea Ethan. *Nada.*

Tout ce dont il se souvenait, c'était son rêve. Il courait dans la jungle, poursuivi par des hommes qui voulaient le tuer. Et puis il y avait une chute, interminable…

Tout à coup, une image lui revint à la mémoire. Il était dans une pièce qui contenait une table d'examen, des placards métalliques, un lavabo. Il se sentait sonné, mais il reconnut une odeur caractéristique d'antiseptique. Il savait, sans parvenir à le formuler, qu'il ne voulait pas se trouver là.

Il y avait quelqu'un avec lui dans cette pièce. Quelqu'un qui tenait une arme…

— Je me souviens du cabinet d'un médecin, dit-il à mi-voix, comme s'il parlait pour lui-même. Une salle d'examen, je crois…

— On vous a trouvé dans votre clinique, ici, en ville, précisa Pope.

Ethan porta une main à sa tête et tâta le pansement qui lui couvrait le front.

— Il y avait quelqu'un avec moi. Un homme. Je crois que nous nous sommes battus. J'ai entendu une femme hurler… puis il y a eu un coup de feu, et puis…

Les mots moururent sur ses lèvres. Une douleur fulgurante lui transperça le crâne et il pressa les mains sur ses tempes.

— Quelqu'un m'a frappé avec un objet dur, métallique…

— Une torche électrique, probablement, dit Pope. Nous en avons retrouvé une maculée de sang, mais nous ne saurons si c'est le vôtre que lorsque l'analyse d'ADN aura été faite.

Ethan ferma les yeux et essaya de se rappeler le reste. Mais ses souvenirs étaient imprécis, comme enveloppés d'un épais brouillard. Bizarrement, le rêve dans la jungle était beaucoup plus clair. Mais s'agissait-il vraiment d'un rêve ? N'était-ce pas plutôt la réalité ? Cette scène de fuite dans la jungle était-elle liée à ce qui lui était arrivé ensuite dans son cabinet ?

Pourquoi ne parvenait-il pas à se souvenir ? Pourquoi ne savait-il pas qui il était ?

Il poussa un grognement, mais il n'aurait su dire si celui-ci était dû à la douleur qui lui comprimait la tête ou à la frustration.

— Avez-vous reconnu l'homme qui était dans le cabinet avec vous ? demanda Pope.

Il se rappelait que le cabinet médical n'était pas éclairé. Mais les volets étaient ouverts et la pleine lune projetait dans la pièce ses rayons pâles. Le visage de son adversaire était masqué par une cagoule, toutefois Ethan avait vu ses yeux lorsqu'il s'était penché en pointant son arme vers lui. Il savait qu'il souriait.

— Il faut compléter le tableau, beau gosse, avait-il déclaré en se tournant vers le placard qui contenait les médicaments.

Il avait fouillé parmi les remèdes, sélectionnant certains d'entre eux, en repoussant d'autres, avec des gestes précis et déterminés.

Par contraste, les mouvements d'Ethan étaient lents, presque léthargiques. Il avait eu l'impression d'être maintenu prisonnier dans une immense toile d'araignée dont il ne pouvait se dépêtrer.

Tout à coup, la porte du cabinet s'ouvrit et une femme hurla. L'inconnu se retourna brusquement, son arme à la main. Poussé par l'instinct et par une soudaine montée d'adrénaline, Ethan se jeta sur lui. Un coup de feu retentit au moment où Ethan, pesant sur l'inconnu de tout son poids, l'entraîna vers le sol. Il entendit un faible gémissement du côté de la porte, puis un bruit sourd. Ensuite, le silence.

L'arme avait roulé sur le sol. Ethan et l'inconnu se précipitèrent pour l'attraper, mais le revolver avait glissé sous un placard métallique. Tandis qu'ils luttaient, Ethan prit conscience qu'une sirène hurlait dans le lointain. Quelqu'un avait entendu le coup de feu et alerté la police. Son adversaire dut entendre aussi, car ses gestes se firent plus durs, plus désespérés. Plus menaçants. Ses mains trouvèrent la gorge d'Ethan et se mirent à serrer, serrer. Ethan eut l'impression qu'un millier d'étoiles explosaient sous son crâne.

Surgissant de quelque part, tout au fond de lui, un formidable instinct de survie lui fit projeter les mains en avant et enfoncer ses pouces dans les yeux de son adversaire. L'homme le relâcha en hurlant de douleur. Mais avant qu'Ethan ait pu profiter de son avantage, l'agresseur trouva une nouvelle arme. Il ramassa un objet métallique sur le sol et lui en assena un coup violent sur la tête.

Etourdi, Ethan retomba en arrière. Avant qu'il ait eu le temps de recouvrer son équilibre, l'inconnu fut de nouveau sur lui, faisant pleuvoir sur sa tête et son visage une série de furieux coups de poing. Finalement, une bienheureuse obscurité enveloppa Ethan et celui-ci ne sentit plus la douleur.

Il jeta un coup d'œil à l'inspecteur Pope et dit :

— C'est tout ce dont je me souviens.

Mais au moins maintenant, il savait comment il avait récolté ces hématomes, comment sa gorge et ses cordes vocales avaient été endommagées. Ce qu'il ignorait encore, c'était *pourquoi*.

— J'ignore ce qu'a fait cet homme quand j'ai perdu conscience. Je ne comprends pas pourquoi il ne m'a pas tué.

Le regard fuyant de Pope effleura rapidement Ethan et se détourna.

— D'après moi, le gars a paniqué. Il s'est enfui en entendant les sirènes des voitures de police. Je ne pense pas que nous trouvions ses empreintes. Il avait préparé son coup avant de se rendre à la clinique et savait exactement ce qu'il cherchait.

— C'est-à-dire ?

— De la drogue, vraisemblablement.

Ethan tâta délicatement sa joue endolorie et se demanda encore une fois à quoi il ressemblait.

Il faut compléter le tableau, beau gosse.

Il n'avait pas fait part de ce souvenir-là à l'inspecteur Pope. Il ne lui avait pas confié non plus une chose dont il était certain, à présent. C'est-à-dire que l'homme n'avait pas pénétré dans la clinique pour se procurer de la drogue. Il était venu pour le tuer, lui. Ethan.

18

Mais alors, si sa vie était en danger, pourquoi ne pas se confier à la police ? demanda une petite voix intérieure.

Parce que son instinct le poussait à se taire. Quelque chose lui disait que lorsque la vérité viendrait au grand jour, lorsqu'il se souviendrait de tout, il y aurait de fortes chances pour qu'il ne veuille pas demander son aide à la police.

Ethan s'aperçut que Pope l'observait et il fit un effort pour supprimer toute expression de son visage afin de dissimuler la terreur qu'il éprouvait.

— Le reste peut sans doute attendre demain ? demanda-t-il tout à coup, pressé de se débarrasser de l'inspecteur.

Il savait qu'il devait plus que jamais se tenir sur ses gardes. *Quelqu'un voulait le tuer.* Ces mots résonnaient sans arrêt dans sa tête, comme un roulement de tambour. Quelqu'un voulait le tuer… et il ignorait qui. Il ignorait même à qui il pouvait faire confiance. Et jusqu'à preuve du contraire, Pope était aussi un ennemi.

Etait-ce un effet de son imagination, ou bien le regard de l'inspecteur se chargea-t-il soudain de suspicion ?

— Je vais essayer de faire vite. Mais il faut encore que je vous pose quelques questions, dit Pope en feuilletant son carnet. Voyons, ah, oui, nous y voilà…

Il marqua une pause, lut ses notes quelques secondes en silence, puis releva la tête.

— D'après le Dr Kendall, vous venez de passer deux mois au Mexique. Vous auriez dû revenir il y a trois semaines, mais vous avez été retenu là-bas car vous avez subi une intervention chirurgicale en urgence. Une appendicectomie, je crois. Vous n'étiez pas censé vous déplacer pendant encore plusieurs jours, cependant vous avez décidé de revenir ce soir. Pourquoi avoir changé vos projets si brusquement ?

Le rêve de jungle afflua à la mémoire d'Ethan. Il crut sentir l'odeur âcre de la végétation pourrissante, revit les lumières blanches des phares balayant le sol inégal, sentit la brûlure de la balle dans son flanc droit.

A moins que cette douleur n'ait été causée par l'incision pratiquée pour l'appendicectomie ? Ce rêve n'était-il rien d'autre qu'une vision provoquée par les produits de l'anesthésie, tandis qu'il passait sous le scalpel du chirurgien ?

— Il y avait une affaire dont je voulais absolument m'occuper, répondit-il d'un ton vague.

Surpris, Pope arqua un sourcil.

— Ce devait être rudement important pour que vous preniez de tels risques avec votre santé.

Ethan hésita, ne sachant que répondre. « Tu es médecin, donc réfléchis en médecin. Sous quel prétexte aurais-tu pu revenir plus tôt que prévu ? En dehors du fait que les autorités mexicaines voulaient te supprimer… »

Mais cela, il valait mieux ne pas en souffler un mot à Pope.

— Il fallait que je voie un de mes patients, se contenta-t-il de dire.

— C'est pour cette raison que vous vous êtes rendu directement à votre cabinet, sans passer chez vous ?

— Comment savez-vous que je ne suis pas allé chez moi ce soir ?

— Vos bagages étaient à la clinique. Ainsi que votre portefeuille et votre mallette professionnelle. Nous vous les rendrons dès que nous aurons fini de les examiner.

— Merci, marmonna Ethan en réfléchissant rapidement.

Son portefeuille contenait sûrement un permis de conduire, une carte de crédit, de l'argent. Une adresse.

— D'après ce que vous m'avez dit, j'en conclus que votre assaillant se trouvait déjà dans la clinique quand vous êtes arrivé, reprit Pope.

— J'en suis pratiquement sûr.

En réalité, Ethan n'était sûr de rien. Son plus lointain souvenir remontait au moment où son regard avait croisé celui du tueur. Il ne se rappelait absolument pas être descendu d'un avion, être arrivé dans son cabinet, ou quoi que ce soit d'autre.

A part sa course éperdue dans la jungle... Cela en revanche, c'était parfaitement clair.

— Avez-vous appelé votre assistante pour lui demander de vous retrouver à la clinique ? demanda Pope.

— Mon assistante ?

— Amy Cole. La jeune femme qui a surpris le tueur.

— Ah, oui, Amy...

Ethan se demanda s'il n'avait pas répondu un peu trop vite. Pope fixa tout à coup sur lui un regard perçant.

— Comment va-t-elle, inspecteur ? J'espère qu'elle n'a pas été gravement blessée. C'est grâce à elle que j'ai eu la vie sauve, ce soir.

Le regard de l'inspecteur devint fixe et il demanda :

— Le Dr Kendall ne vous a pas mis au courant ?

— Au courant de quoi ?

— Amy Cole est morte. Une balle en plein cœur. Pauvre petite, elle n'a pas eu le temps de comprendre ce qui lui arrivait.

Pope secoua la tête et ajouta :

— Quel dommage. C'était un joli petit brin de femme.

Ethan sentit l'air s'échapper de ses poumons. Un poids intolérable lui comprima soudain la poitrine. Il n'avait aucun souvenir de la jeune femme. Tout ce qu'il se rappelait, c'était le hurlement qu'elle avait poussé. Puis il avait vu le tueur faire brusquement volte-face et tirer en direction de la porte.

A présent, il était plus certain que jamais que l'homme était venu à la clinique pour le tuer. Amy Cole avait reçu la balle qui lui était destinée à lui, Ethan Hunter.

A supposer que ce nom soit bien le sien...

2.

— C'est du suicide, docteur Hunter. Je ne vous laisserai pas faire.

Une femme d'âge moyen, bâtie comme un lutteur et vêtue d'un uniforme d'infirmière, posa d'un air autoritaire les mains sur ses hanches et barra le passage à Ethan. Des rides profondes sillonnaient son visage et lui donnaient une expression implacable.

Ethan avait espéré pouvoir se glisser hors de sa chambre sans qu'on le remarque, mais c'était raté. Cette femme… Roberta Bloodworth, à en croire le badge accroché à sa blouse, l'avait pris sur le fait.

— Ne vous inquiétez pas, déclara-t-il avec une fausse désinvolture, tout en finissant de boutonner sa chemise tachée de sang. Je me sens déjà bien mieux. Tout ce qu'il me faut maintenant, c'est une bonne nuit de repos dans mon lit.

Il était loin de se sentir aussi bien qu'il le prétendait. Le sang lui battait aux tempes, son crâne était douloureux et il avait l'impression qu'un bulldozer lui était passé sur le corps. Mais la douleur lui importait peu. Sa principale préoccupation pour le moment, c'était qu'il ne savait même pas *où* se trouvait son lit… ni même avec qui il était censé le partager.

Tout ce qu'il savait, c'était qu'il devait sortir d'ici au plus vite. Il avait besoin de trouver les réponses aux deux questions qui le hantaient : qui voulait le tuer et pourquoi ?

— Regardez-vous ! reprit l'infirmière d'un ton sévère. J'ai moi-même du mal à vous reconnaître. Et cette voix d'outre-tombe ! On dirait que vous sortez tout droit d'un film d'horreur.

Tout en lui agitant un doigt sous le nez, elle ajouta :

— Ce n'est pas à moi de vous rappeler combien une blessure à la tête peut être dangereuse. Il vaut mieux que vous ne restiez pas seul ce soir.

— Je ne serai pas seul, répliqua Ethan en enfilant sa veste. Ma femme prendra soin de moi.

— Votre… femme ?

Ethan comprit qu'il venait de commettre une erreur. L'alliance qu'il portait l'avait poussé à tirer des conclusions erronées. Sa femme et lui étaient-ils séparés ? Divorcés ?

Ou bien était-il veuf ?

— Disons simplement… que je ne serai pas seul. D'accord ? répondit-il avec un clin d'œil.

— Ce cher vieux Hunter… toujours le même, finalement, grommela l'infirmière en le dévisageant d'un air malicieux.

Ethan devina que, sous son allure revêche, elle dissimulait un réel sentiment d'affection pour lui. Tout à coup, il se sentit un peu mieux. Finalement, il n'avait peut-être pas que des ennemis.

Mais… pouvait-il faire confiance à Roberta au point de lui avouer qu'il était amnésique ? Accepterait-elle de l'aider ? Ou bien insisterait-elle pour prévenir la police ? Ou, pire encore, le Dr Kendall ?

Ethan ne parvenait pas à chasser l'impression gênante que Kendall ne le portait pas dans son cœur. Que s'était-il passé entre eux ?

L'espace d'une seconde, l'idée d'en toucher un mot à l'infirmière lui traversa l'esprit, mais il se retint. Il valait mieux qu'il reste sur la réserve. Roberta Bloodworth était tout à fait le genre de personne capable de le percer à jour en moins de deux.

Il esquissa son sourire le plus désarmant.

— Vous savez ce qu'on dit sur les médecins ? Ce sont les pires malades. Considérez que vous avez de la chance de vous débarrasser de moi.

Roberta eut un geste d'exaspération.

— D'accord. Après tout, c'est de votre vie qu'il s'agit. Pourquoi devrais-je m'en faire ?

Mais quand elle se tourna vers la porte, il l'entendit murmurer :

— Quand même, faites attention à vous, Ethan.

Lorsqu'elle fut sortie, Ethan fouilla les poches de sa veste. Celles-ci contenaient une barre de chewing-gum, un ticket de parking et un Post-it sur lequel était inscrit un numéro de téléphone qu'il ne reconnut pas. Il remit soigneusement le tout dans sa poche, ouvrit la porte de sa chambre et inspecta rapidement le couloir, cherchant la sortie la plus proche. Il repéra les ascenseurs et se dirigea vers eux d'un pas vif. A l'instant où il approchait, les portes d'une des cabines coulissèrent, livrant passage à une jeune femme hors d'haleine et échevelée. Ils se croisèrent, leurs épaules se frôlèrent et ils se dévisagèrent pendant une seconde.

La première impression d'Ethan fut que la jeune femme, sans être belle ni laide, avait un visage intéressant. Ses yeux, en particulier, étaient extraordinaires, d'un bleu si limpide que ses prunelles semblaient presque translucides.

Elle portait un tailleur-pantalon bleu marine. Ses courts cheveux auburn étaient coiffés en arrière, d'une façon tout à la fois simple et recherchée. Elle avait l'allure déterminée d'une femme qui ne s'en laisse pas compter et poursuit un objectif précis.

Ethan perçut tout cela en une fraction de seconde, comme n'importe quel homme remarquant une jolie femme qui croise son chemin. Il marmonna une excuse et pénétra dans la cabine d'ascenseur sans lui prêter davantage d'attention. Mais alors que les portes se refermaient, il la vit se retourner et le dévisager avec une insistance qui le mit mal à l'aise.

La connaissait-il ?

Il fut un instant sur le point d'appuyer sur le bouton pour rouvrir les portes. Mais que lui dirait-il ? Comment s'assurer qu'elle était une amie et non une ennemie ?

La vérité, c'était qu'il ne pouvait se permettre de faire confiance à qui que ce soit.

Il sortit de l'ascenseur et tout en se dirigeant vers l'entrée principale de l'hôpital, il récapitula tout ce qu'il avait appris sur lui-même. Son nom était Ethan Hunter. Il était chirurgien esthétique. Il était marié ou, du moins, l'avait été. Il venait de rentrer du Mexique, où il avait subi une appendicectomie en urgence. Ce soir, il avait été violemment attaqué dans son cabinet par un inconnu qui voulait le tuer.

Sa plaie au côté droit lui tirailla la peau lorsqu'il poussa la porte vitrée pour sortir du bâtiment. Une bouffée d'air chaud et lourd l'enveloppa. Il songea que ce devait être l'été à Houston, car bien qu'il fût plus de 22 heures, la chaleur était étouffante.

Les gratte-ciel se découpaient au loin, contre le ciel sombre. Ethan hésita un instant. Que faire ? Où aller ? Ce n'était peut-être pas une très bonne idée de quitter l'hôpital. Il aurait dû tout d'abord établir un plan et décider où il devait se rendre en premier lieu. Ou encore, essayer de se procurer le numéro de sa femme et l'appeler pour qu'elle vienne le chercher.

Il n'aurait su dire pourquoi, ce choix ne le tentait pas. Et il n'avait pas envie non plus d'attendre dans sa chambre d'hôpital que son agresseur vienne l'achever.

Ethan savait instinctivement qu'il n'avait pas le choix : il fallait qu'il quitte l'hôpital. Il s'était senti obligé de fuir, il était persuadé que c'était la seule possibilité qui lui restait. Il ne pouvait se permettre de rester trop longtemps au même endroit.

Des phares balayèrent la rue et il leva une main à hauteur de ses yeux pour se protéger de la lumière aveuglante. Pendant un millième de seconde, il eut l'impression d'être de nouveau dans la jungle. Il crut voir les puissants faisceaux lumineux fouillant la forêt. Il entendit le grondement de l'eau au-dessous de lui. Il sentit le violent impact d'une balle lui transperçant le flanc. Puis il tomba…

Quelqu'un lui agrippa le bras. Ethan pivota vivement sur ses talons, tendit les mains en avant pour attraper son adversaire et le plaquer contre lui. Son bras se referma sur une gorge fragile qu'il serra de toutes ses forces.

En un éclair, Grace Donovan vit toute sa vie défiler devant ses yeux. Le bras qui lui serrait la gorge était aussi dur que l'acier. Plus elle se débattait, plus l'homme resserrait sa pression. Elle s'obligea à demeurer immobile et attendit que les muscles de son adversaire se détendent imperceptiblement. Alors, elle projeta son corps en avant et de ses deux mains, repoussa l'homme.

Celui-ci relâcha légèrement son étreinte. Grace en profita pour prendre une longue inspiration. Enfin, il la libéra tout à fait et elle s'écarta de lui en chancelant.

— Vous êtes fou ? parvint-elle à balbutier.

Ethan la regarda comme si elle était une apparition. Il baissa les yeux, contempla ses mains, puis releva la tête.

— J'aurais pu vous tuer, murmura-t-il en considérant de nouveau ses mains avec stupeur.

Dans la lueur glauque des réverbères, son visage semblait d'une pâleur mortelle.

— Pas possible ? répliqua vertement Grace en se massant le cou.

Des phares éclairèrent la silhouette d'Ethan et elle vit claire-ment les hématomes qui marquaient ses joues et son front.

— Pourquoi m'avez-vous attaquée comme ça ?

— Je ne sais pas, dit-il sans cesser de regarder ses mains.

Grace garda les mains plaquées contre sa gorge et se sentit extrêmement vulnérable.

— Inutile de vous inquiéter, dit-elle d'un ton sec. Je ne pense pas qu'il y ait des séquelles.

L'homme releva la tête. Une émotion indéfinissable voila son regard.

— C'est vrai, vous vous sentez bien ?

Grace fronça les sourcils.

— Oui, ça va aller. Mais je ne parlais pas de moi. Je disais cela… pour vos mains. Vous êtes chirurgien, n'est-ce pas ?

Il ne répondit pas et se contenta de demeurer là, à la regarder dans la lumière pâle des lampadaires. Malgré la chaleur lourde du mois de juin qui semblait s'échapper en volutes épaisses de la chaussée goudronnée, Grace frissonna. Elle sentit une goutte de sueur couler le long de sa nuque, mais elle n'aurait su dire si c'était à cause de l'humidité, ou de l'homme qui se tenait devant elle et qui la regardait d'une façon bizarre. Elle s'éclaircit la gorge avant de demander :

— Vous êtes bien le Dr Hunter ? Ethan Hunter ?

— Est-ce que je vous connais ?

Il esquissa un pas vers elle et Grace lutta contre l'envie de prendre ses jambes à son cou. D'ordinaire elle ne se laissait pas effrayer facilement, mais les blessures et les pansements du médecin lui donnaient une allure terrifiante. Il y avait quelque chose dans son regard… une lueur sombre qui la glaça d'ef-froi. Elle se demanda sur quel chemin tortueux elle venait de s'engager et soudain, elle regretta sa démarche.

— Nous ne nous sommes jamais rencontrés. Mais je vous ai croisé tout à l'heure.

— Dans l'ascenseur, dit-il, comme s'il venait juste de la reconnaître.

Elle opina de la tête.

— Je venais pour vous voir. L'infirmière m'a dit que vous veniez juste de quitter l'hôpital. Vous croyez que c'est une bonne idée ? Pardonnez-moi de vous le dire, mais vous avez l'air assez mal en point.

— Je me sens bien.

Tout en disant cela, il explora son propre visage du bout des doigts. Ce geste lui fit penser à celui d'un aveugle.

— Pourquoi me cherchiez-vous ? s'enquit-il brusquement.

Grace soupira et c'est alors seulement qu'elle se rendit compte qu'elle avait retenu son souffle.

— Pour vous parler de ce qui s'est passé ce soir. J'ai vu la police. Ils m'ont mise au courant. Je reviens juste de la morgue.

Ethan la dévisagea.

— De la morgue ? répéta-t-il.

Grace croisa les bras et frissonna tout à coup, comme si elle se trouvait encore dans la chambre froide où était entreposé le corps d'Amy.

— Je voudrais vous parler d'Amy Cole.

Une lueur traversa le regard du médecin. Etait-ce du regret ? De la culpabilité ? Ou tout simplement un effet de la lumière ?

— Vous connaissiez Amy ? demanda-t-il.

— C'était ma sœur.

Il parut abasourdi.

— Je suis désolé. Je ne sais pas quoi vous dire, dit-il en écartant les bras.

Il baissa la tête puis leva de nouveau les yeux vers elle.

— Elle m'a sauvé la vie, ce soir.

Bien qu'enrouée, sa voix était irrésistible. Grave, sensuelle, elle fit surgir chez Grace des émotions qu'elle préférait ne pas approfondir. La mort de sa sœur devait être vengée et rien

28

d'autre ne comptait. Pas question de se laisser distraire de son but par un homme au visage contusionné, à la voix profonde et séduisante.

Ethan lui toucha le bras. Elle tressaillit violemment, comme sous l'effet d'une brûlure.

— Vous vous sentez bien ? demanda-t-il.

Elle ravala sa frayeur.

— Très bien, merci. Mais il faut que je vous parle de ma sœur. Je veux savoir pourquoi Amy est morte, docteur Hunter. Je veux savoir quel rôle vous avez joué dans cette affaire.

Le regard du médecin s'assombrit.

— Que voulez-vous dire ?

— Vous le savez très bien.

Grace s'obligea à rassembler ses souvenirs, à rappeler ses émotions. Elle décroisa les bras, posa une main sur la bandoulière de son sac. Ses doigts se crispèrent.

— Je suis au courant de tout, pour Amy et vous. Je sais que vous aviez une… liaison.

Elle prononça ce dernier mot d'un ton cinglant. Ethan eut un haut-le-corps, comme si elle l'avait giflé. Mais il n'essaya pas de se défendre. Grace ajouta avec froideur :

— Elle m'a tout raconté. Elle m'a même dit que vous étiez impliqué dans une affaire dangereuse. Une affaire qui pouvait vous coûter la vie, à tous les deux. Apparemment elle ne se trompait pas.

Cette fois, Ethan ne broncha pas. Impassible, il darda sur la jeune femme un regard sombre et glacial.

— J'ignore de quoi vous voulez parler.

— Et moi, je pense que vous le savez très bien, répliqua-t-elle en levant le menton. Amy est morte, docteur Hunter, et je suis persuadée que vous en savez plus sur ce meurtre que vous ne voulez l'avouer. Je suis venue dans le but d'obtenir des réponses aux questions que je me pose et je ne partirai pas tant que vous ne me les aurez pas fournies.

— Dans ce cas, vous risquez d'attendre longtemps.

Il tourna les talons, fit quelques pas et s'arrêta brusquement, balayant du regard la rue et les voitures qui passaient.

Grace alla vers lui et lui prit le bras. Elle sentit ses muscles se raidir sous ses doigts, comme de l'acier. Elle laissa retomber sa main.

— Vous ne pouvez pas partir comme si rien ne s'était passé ! Vous me devez la vérité. Vous la devez à Amy. Elle était amoureuse de vous, bon sang !

Il effleura son pansement du bout des doigts et murmura, l'air égaré :

— Je ne savais pas.

Grace lui lança un regard noir.

— Comment ça, *vous ne saviez pas ?* Amy ne vous a jamais avoué ses sentiments ? Pourtant, elle n'a jamais su cacher ce qu'elle ressentait.

Il considéra Grace avec une sorte de gravité, comme s'il était sur le point de lui confier quelque chose. Puis il se détourna en haussant les épaules.

— Je suis désolé pour votre sœur. Profondément désolé. Mais je ne peux pas vous aider. Je n'ai rien à vous dire. Je ne détiens pas les réponses que vous recherchez.

— Alors, je n'ai pas le choix, déclara Grace en sortant de son sac un paquet de lettres attachées par un ruban bleu. Amy m'a écrit régulièrement ces derniers mois. Voilà ses lettres. Elles parlent toutes de vous, docteur Hunter. Des promesses que vous lui faisiez. Des services que vous lui demandiez. Je suis sûre que cela intéressera beaucoup la police.

Il se retourna, les traits pâles et figés. Toute trace de vulnérabilité en lui s'était évanouie. Il riva sur Grace un regard dur.

— Vous croyez me faire peur, avec vos menaces ? Pourquoi la police s'intéresserait-elle aux lettres de votre sœur ? De quoi m'accuse-t-elle ?

Grace hésita, croisa son regard, puis baissa les yeux.

— D'accord, j'avoue que ses lettres ne contiennent rien de précis. Mais Amy en a dit assez pour éveiller mes soupçons. Je pense vraiment que si la police en prenait connaissance, elle serait curieuse d'en savoir davantage.

— Dans ce cas, vous auriez déjà dû les leur confier.

— Je voulais vous parler d'abord.

— Pourquoi ?

— J'ai mes raisons.

Ethan l'observa un moment et dit lentement :

— Craindriez-vous par hasard que votre sœur ne soit pas seulement un témoin innocent dans cette affaire ? Si vous allez trouver la police, les flics ne risquent-ils pas d'aller chercher un peu trop loin ?

Grace fut étonnée par sa perspicacité.

— C'est en partie pour cette raison, concéda-t-elle à contrecœur. Mais pas seulement. En fait, je ne fais pas vraiment confiance à la police.

— Pourquoi donc ?

— Pour eux, Amy fait seulement partie des statistiques. C'est un cas parmi tant d'autres. Il y a des douzaines de meurtres chaque semaine, dans cette ville.

La jeune femme s'interrompit et se mordit la lèvre.

— Amy était ma sœur, docteur Hunter, reprit-elle. Je suis prête à faire n'importe quoi pour qu'on retrouve son assassin. Pour l'instant, vous êtes la seule personne qui puisse m'aider.

Ethan fronça les sourcils, mais garda le silence.

— Je ne tiens pas à aller trouver la police, poursuivit Grace. Toutefois, si c'est la seule façon de vous obliger à coopérer…

D'un geste vif, il lui agrippa les bras et l'attira vers lui. Grace voulut se débattre, mais quelque chose dans l'expression de son adversaire l'arrêta. Il semblait… désespéré. Son regard était plus sombre que jamais.

— Vous ne comprenez donc pas ? Je ne peux pas vous aider. Je ne sais rien.

— Alors pourquoi avez-vous si peur de la police ? demanda-t-elle, incapable de détacher son regard du sien.

Elle sentit sa gorge se nouer à la pensée qu'elle était peut-être allée trop loin. L'espace d'une seconde, Ethan Hunter parut livrer une intense bataille intérieure. Une myriade d'émotions s'inscrivit sur ses traits. Puis il laissa ses mains retomber et fit un pas en arrière.

— Je ne sais rien sur votre sœur, ni sur ce que contiennent ces lettres. Ni sur notre liaison. Je ne me souviens pas d'elle. Je ne sais même pas quel est mon nom ou à quoi ressemble mon visage. Je ne me rappelle rien. Est-ce que c'est clair ?

Abasourdie, Grace observa son visage rembruni. Seul son profil gauche était éclairé. Le reste de ses traits se perdait dans l'obscurité. Cela lui donna l'impression étrange qu'elle s'adressait à deux hommes différents.

— Vous voulez dire que vous êtes amnésique ? balbutia-t-elle, déconcertée.

Ethan ne répondit pas et demeura là à la regarder en silence. Il portait un costume gris foncé, à la coupe superbe. Sa veste était ouverte et Grace vit des taches de sang sur sa chemise blanche. Ce fut cela qui lui rappela tout à coup la raison de sa présence ici. Son cœur se mit à cogner dans sa poitrine.

— Mon Dieu, dit-elle. Vous ne vous rappelez vraiment rien ?

— Du moins, pas grand-chose, marmonna-t-il.

Son visage se ferma, comme s'il regrettait déjà cette confession. Mais était-ce réellement une confession ? Disait-il la vérité, ou essayait-il simplement de se protéger ?

Elle considéra un moment la situation sous cet angle nouveau et se demanda si elle devait suivre son plan initial. Puis elle fouilla longuement le regard d'Ethan, guettant la lueur de désespoir qu'elle y avait décelée un peu plus tôt, ou bien une quelconque expression d'angoisse ou de peur.

Mais elle ne vit rien. Le visage du médecin demeura de marbre. Un tel contrôle de soi l'effraya plus encore, car elle comprit avec quelle facilité il pourrait lui mentir si l'envie le prenait.

— Que disent les médecins de votre état de santé ?

Ethan haussa les épaules.

— D'après ce que j'ai compris il peut se passer des jours, ou même des semaines, avant que je ne parvienne à combler les vides de ma mémoire.

— J'ai l'impression que ces « vides » sont plus importants qu'ils ne le pensent.

Ethan haussa de nouveau les épaules. Grace jeta un coup d'œil circulaire dans la rue et se rendit compte qu'ils formaient une cible idéale pour un tueur éventuel. Malgré la chaleur intense, elle frissonna.

— Ce n'est peut-être pas une très bonne idée de traîner comme ça dans la rue.

— Je me sens bien, répliqua-t-il d'un ton presque hargneux. Ne vous en faites pas pour moi.

— Vous n'allez pas si bien que ça, protesta-t-elle. Vous avez failli être tué ce soir. Vous ne vous êtes pas dit que celui qui a tué Amy pouvait revenir ?

— Ce n'est pas votre problème.

Grace comprit à son regard que cette pensée l'avait effleuré. Elle se demanda si c'était la raison pour laquelle il avait quitté l'hôpital.

— Je suis désolée, mais à présent c'est aussi mon problème, rétorqua-t-elle en redressant les épaules. Je veux trouver l'assassin de ma sœur et pour le moment vous êtes la seule piste dont je dispose.

Ethan scruta le ciel obscur, comme s'il cherchait un indice pour le guider jusque chez lui. Son visage éclairé par la lueur blafarde de la lune avait une expression lugubre.

— Vous m'avez dit tout à l'heure qu'Amy vous a raconté qu'elle était impliquée par ma faute dans une affaire dangereuse ? Qui risquait de mal finir ? C'est bien cela ?

Grace croisa son regard et frissonna.

— A votre place, ajouta-t-il, j'éviterais de rester près de moi. Vous pourriez vous trouver sur la trajectoire d'une balle.

La jeune femme croisa les bras sur sa poitrine, l'air plus déterminé que jamais. Sa mâchoire crispée et son menton relevé lui donnaient une expression décidée. Elle soutint le regard d'Ethan sans sourciller.

— J'ai été claire, il me semble. Je ne partirai pas avant d'avoir obtenu des explications.

— Et moi, je vous ai dit que je ne pouvais pas vous en donner.

— Pourtant, vous détenez les réponses dont j'ai besoin. Le problème c'est que vous ne pouvez pas vous les rappeler, si, bien sûr, vous êtes vraiment amnésique.

— Vous ne me croyez pas ?

Une drôle d'expression traversa ses yeux bleus, mais elle ne dit rien.

Après tout, il n'avait que faire de son opinion, songea Ethan. Mais malgré cela, une vive colère s'empara de lui. Cette femme ne le connaissait même pas. Elle fondait son jugement uniquement sur ce que lui avait dit sa sœur. Or, si Amy Cole et lui avaient eu une liaison… si leur relation avait mal évolué…

Tout à coup, il lui sembla que l'alliance qu'il portait à l'annulaire pesait une tonne. Il lutta contre l'envie de la retirer de son doigt. Comment savoir ? Peut-être était-il encore profondément amoureux de sa femme… Son ex-femme ?

Mais dans ce cas, pourquoi aurait-il eu une aventure avec Amy Cole ?

Ethan secoua la tête, dans l'espoir de dissiper le brouillard qui l'enveloppait. Mais le mystère ne faisait que s'épaissir. Il y avait tant de choses qu'il ne parvenait pas à se rappeler. Que lui était-il arrivé au Mexique ? Dans quelle terrible aventure s'était-il engagé ? Pourquoi cela avait-il abouti au meurtre d'Amy ?

Il considéra longuement la sœur de celle-ci. Elle avait un objectif précis. Mais quelque chose dans ses yeux adoucissait son apparence déterminée. Le chagrin d'avoir perdu sa sœur, sans doute ?

Un sentiment de culpabilité lui traversa l'esprit. Amy Cole était probablement morte à cause de lui.

— Ecoutez, dit-il. Peu m'importe que vous me croyiez ou non. En attendant, je fiche le camp d'ici. Et si vous avez deux sous de jugeote, vous ne me suivrez pas.

Grace esquissa un pas dans sa direction.

— Ne croyez pas que vous allez m'échapper aussi facilement.

— Ne soyez pas stupide, répliqua-t-il, exaspéré. Je ne veux pas que vous finissiez comme votre sœur.

Quelque chose brilla dans les yeux de la jeune femme. Elle parut hésiter un instant.

— Cela ne m'arrivera pas. Je me tiendrai sur mes gardes.

Ethan secoua la tête d'un air de regret.

— Vous ne savez pas dans quoi vous vous engagez. Et je ne le sais pas moi-même.

— Tout ce que je sais, moi, c'est que je ne serai pas tranquille tant que je n'aurai pas retrouvé l'assassin de ma sœur, dit-elle à voix basse.

Elle prononça ces mots d'un ton si farouche qu'Ethan se sentit désarçonné.

— Vous croyez que c'est prudent, de vous débarrasser de moi ? ajouta-t-elle. Où irez-vous ? Vous ne savez même pas où vous habitez. Laissez-moi au moins vous emmener quelque part où vous serez en sécurité.

Ethan la regarda longuement. La tentation était grande.

— Je ne veux pas vous mêler à cette affaire, dit-il.

— Ne soyez pas idiot, répliqua-t-elle du tac au tac. Vous n'avez pas le choix.

— Vous croyez cela ? Je peux encore décider d'aller demander de l'aide à la police.

— Ça m'étonnerait, dit-elle en lui coulant un regard de côté.

Ce qui signifiait qu'il ne pouvait pas s'adresser aux autorités. Quelle que soit l'affaire à laquelle il était mêlé, il valait sans doute mieux que la police ne soit pas tenue au courant.

Que ça lui plaise ou non, il était coincé. Cette femme avait réussi à l'amener là où elle le voulait.

— D'accord, dit-il. Je suppose que nous sommes condamnés à rester ensemble. Du moins pour le moment.

L'expression de la jeune femme fut loin d'être triomphante.

— En effet, déclara-t-elle simplement. Venez. Je suis garée par là.

Ethan la suivit dans le parking, la tête baissée. Il avait l'impression de s'engager à l'aveuglette sur un chemin aussi dangereux et mortel que la jungle.

3.

Grace s'engagea dans Memorial Avenue, et prit la direction de l'ouest. Ethan scrutait les panneaux routiers, dans l'espoir de voir resurgir un souvenir. Mais en vain. Bien qu'ils fussent encore en ville, les rues devenaient de plus en plus arborées. Les réverbères illuminaient de hautes clôtures et des allées fermées par de lourds portails. Au-delà des murs, il aperçut des demeures cossues, des jardins luxuriants savamment éclairés par des spots qui répandaient sur le paysage une douce lumière vert pâle.

Ethan chercha un détail familier, un paysage qui aurait éveillé quelque chose en lui. Mais la rue lui demeurait aussi étrangère que son propre nom. Ou que son visage.

Il toucha les hématomes sur ses joues et grimaça. Il était temps d'évaluer les dégâts.

— Vous avez un miroir ?

Sa compagne lui lança un regard étonné.

— Oui, sur le pare-soleil, mais…

— Mais quoi ?

— Préparez-vous à avoir un choc.

Ethan abaissa le pare-soleil et découvrit le miroir. Celui-ci était si étroit qu'il ne pouvait y voir qu'une petite partie de son visage. Il observa d'abord l'épais pansement qui couvrait son front. Puis ses paupières gonflées. Ses yeux étaient soulignés de larges cernes noirs, et l'un d'eux était presque entièrement fermé. Ses joues bleues étaient déformées par les hématomes. Ses lèvres, enfin, avaient éclaté sous les coups. Kendall avait raison. Il était mal en point.

Et surtout son visage lui semblait être celui d'un étranger.

Ethan abaissa un peu le miroir et étudia ses yeux. D'après le peu qu'il pouvait en voir, ceux-ci étaient d'un brun très foncé. Il avait des cils noirs, des sourcils épais. D'un geste brusque, il arracha son pansement. Sa compagne poussa un petit cri.

— Vous n'auriez pas dû faire ça, murmura-t-elle.

Ses cheveux noirs, collés par le sang, retombaient sur son front et recouvraient une longue ligne de points de suture sur son arcade sourcilière gauche.

Il faut compléter le tableau, beau gosse.

Pendant un long moment, Ethan ne dit rien. Il était incapable de prononcer un mot.

— C'est superficiel, dit sa conductrice, doucement. Vos blessures ne sont pas profondes, elles guériront vite. Dans quelques jours vous serez un homme neuf.

La jeune femme s'arrêta devant un feu rouge et il sentit son regard peser sur lui. Mais il ne put détacher les yeux de son reflet dans le miroir, cherchant dans ses pupilles sombres la clé qui lui ouvrirait le chemin vers son esprit. Un homme neuf ? Qui donc était l'ancien ? Un médecin qui opérait les enfants pauvres de Mexico ? Un mari qui trompait sa femme ? Un homme responsable de la mort d'une jeune femme ?

Sa compagne l'observait toujours. Il se tourna tout à coup et accrocha son regard. L'espace d'un instant elle parut désarçonnée, comme si elle le voyait pour la première fois. Ou comme si elle venait juste d'apercevoir quelque chose d'inattendu sur son visage déformé.

— Vous êtes un très bel homme, dit-elle de but en blanc.

Ethan réprima un rire.

— Oui, dans le style Frankenstein !

— Non, je parle sérieusement.

Elle jeta un bref coup d'œil dans le rétroviseur, puis reporta son regard sur Ethan. Le feu passa au vert et elle redémarra.

— Croyez-moi, vous êtes très beau.

— Je pensais que nous ne nous étions jamais rencontrés avant ce soir ?

Il la vit froncer imperceptiblement les sourcils.

— En effet, mais j'ai vu des photos de vous. C'est Amy qui me les a montrées.

Amy. Il essaya de ramener à sa mémoire une image de la jeune femme assassinée, de se rappeler ce qu'il avait éprouvé pour elle. Mais il ne ressentit rien. Ne vit rien.

Alors, il observa la femme assise à côté de lui. Son profil était à peine éclairé par les lueurs du tableau de bord. Elle ne cessait de regarder le rétroviseur, comme si elle s'attendait qu'ils soient suivis. Il aurait aimé savoir ce qu'elle pensait… et comprendre pourquoi il ne parvenait pas à lui faire totalement confiance.

Il y avait une sorte de souffrance au fond de ses yeux.

Cette femme avait éprouvé un profond chagrin, il en était certain. Amy n'était morte que depuis quelques heures, mais sa souffrance semblait plus ancienne, enfouie au fond d'elle-même, comme si elle l'avait surmontée, domptée depuis longtemps.

Elle avait trop de contrôle sur elle-même. Elle était trop déterminée.

Son regard quitta la route un bref instant et croisa le sien. Le cœur d'Ethan fit un bond et il éprouva une étrange émotion. Etait-ce de la suspicion ? Du désir ?

— Vous lui ressemblez ? demanda-t-il.

Elle fixa de nouveau son attention sur la route.

— A Amy ? Non, pas vraiment. Elle était blonde et n'avait pas de taches de rousseur. Et puis elle était plus mince que moi. Plus grande. Beaucoup plus belle.

Etait-ce une trace d'envie qu'il décelait dans sa voix ?

— Je ne connais même pas votre nom, dit Ethan. Et j'ignore où vous m'emmenez. Pourquoi est-ce que je devrais vous faire confiance ?

— A laquelle de ces questions voulez-vous que je réponde en premier ?

Ethan marqua une pause et répondit :

— A la dernière, je suppose. Selon la réponse que vous me faites, les deux autres risquent de ne plus avoir tellement d'importance.

Une fois de plus, son regard bleu clair croisa le sien. Et une fois de plus, il éprouva la même émotion.

— Vous connaissez le proverbe : « les loups ne se mangent pas entre eux » ? Cela nous correspond, je suppose. Vous ne pouvez pas aller voir la police sans vous impliquer d'une façon ou d'une autre dans cette affaire. Et pour des raisons personnelles, je ne tiens pas non plus à m'adresser aux autorités. Vous n'avez qu'une façon de vous en sortir : débusquer l'assassin d'Amy avant que lui ne vous retrouve. Et comme je veux la même chose, nous pouvons nous entraider.

— Même si nous ne nous faisons pas mutuellement confiance ?

La jeune femme haussa les épaules avec désinvolture. Ethan se dit que son geste n'aurait pas pu être plus éloquent.

— Et si nous retrouvons le meurtrier ? dit-il au bout de quelques secondes. Que se passera-t-il alors ?

Elle répondit sans la moindre hésitation :

— Je le traînerai en justice. Ce qui vous arrivera ensuite, je m'en moque totalement.

— Vous êtes un peu dure, non ?

— Je suis franche.

Elle s'arrêta de nouveau à un feu rouge, mais cette fois elle ne dirigea pas les yeux vers lui. Les doigts serrés sur le volant, elle regardait droit devant elle.

— Vous voulez toujours connaître les réponses aux autres questions ? demanda-t-elle tout à coup.

— Cela risque de vous surprendre, mais oui, répondit-il en réprimant un sourire.

Alors, elle se tourna vers lui. Son regard doux et clair avait quelque chose de mystérieux.

— Je m'appelle Grace Donovan. Et je vous emmène chez vous.

Il ne put s'empêcher de hausser un sourcil et sentit le léger tiraillement des points de suture sur son arcade sourcilière. Le feu passa au vert et la voiture repartit.

— Chez moi ? Comment savez-vous où j'habite ?

— Amy m'avait montré votre demeure.

Il réfléchit un bref instant et ajouta :

— Nous ne pourrons sans doute pas entrer. Je n'ai pas de clé.

— Vous avez regardé dans vos poches ?

— Naturellement. La police a gardé mon portefeuille, ma mallette et les bagages que j'ai ramenés du Mexique.

— Espérons qu'ils ne trouveront rien de compromettant. Ou du moins, qu'ils ne le trouveront pas avant nous.

Sa franchise était presque brutale. Elle n'avait pas froid aux yeux, songea Ethan avec une pointe d'admiration.

— Qu'est-ce qui vous dit que nous serons en sécurité chez moi ?

— Quand vous aurez vu la maison, vous comprendrez. C'est une vraie forteresse.

Ethan essaya d'imaginer l'endroit. Il vivait donc dans une maison qui ressemblait à une place forte ? Pourtant, les seuls souvenirs qui lui revenaient en esprit, c'était l'odeur de la jungle, le grondement de la rivière, la montée d'adrénaline dans ses veines à l'approche du danger. Toutes ces choses lui semblaient beaucoup plus familières que les demeures somptueuses qui longeaient l'avenue.

— Votre nom est donc Donovan. Vous ne portez pas le même nom que votre sœur, dit-il au bout d'un moment. Vous êtes mariée ?

— Non. Mais Amy l'a été, très brièvement. Elle s'est mariée tout de suite après avoir quitté l'école. Le mariage n'a duré qu'un an. Le gars ne valait pas très cher. Il faut dire qu'elle n'a jamais été très difficile en ce qui concernait les hommes.

Leurs regards se croisèrent et elle considéra Ethan d'un air de défi.

— Je peux vous poser une question ? dit-il. Vous voulez absolument trouver l'assassin de votre sœur, mais...

— Mais quoi ? répliqua-t-elle d'un ton vif.

— Mais vous ne semblez pas vraiment... chagrinée par sa disparition.

Elle crispa si fort les mains sur le volant qu'il vit ses phalanges blanchir.

— Parce que je ne pleure pas ? Que je ne fais pas de crise de nerfs ? Parce que tout ce que je veux, c'est amener le meurtrier devant la justice ? Le chagrin peut s'exprimer de différentes façons, docteur Hunter. Croyez-moi.

— Je suis sûr que c'est vrai. Mais vous paraissez tellement...

Il s'interrompit, cherchant le mot exact. Grace se tourna vers lui, d'un air attentif.

— Vous vous contrôlez parfaitement, finit-il par dire.

— Je ne trouve pas que ce soit un défaut. Qu'en pensez-vous ?

— Amy n'est morte que depuis quelques heures.

— Je le sais mieux que personne, rétorqua-t-elle en lançant un coup d'œil au rétroviseur.

— Avez-vous prévenu vos parents ?

— Toutes les personnes qui devaient être prévenues l'ont été. Ne vous inquiétez pas pour ma famille. Et ne vous posez pas de questions sur mes sentiments.

— Mais je me sens responsable de la mort d'Amy, même si ce n'est pas moi qui ai appuyé sur la détente. J'ai besoin de savoir des choses sur elle, ajouta-t-il. Quelle personne était-elle ? Pourquoi a-t-elle eu une relation avec moi ? Je veux dire, en dehors du fait qu'elle n'était pas très difficile, ironisa-t-il.

— Je suis désolée, je n'aurais pas dû dire cela. C'était une attaque un peu facile, admit-elle à voix basse. Ecoutez, je peux aussi bien vous dire la vérité. Nous n'étions pas très proches toutes les deux. En fait, nous sommes restées des années sans nous parler.

— Mais pourquoi ?

Grace haussa les épaules.

— Nous avions eu un différend. C'est idiot, mais nous ne nous sommes jamais réconciliées. La rancœur et la jalousie étaient trop profondes, vous comprenez ?

Il saisit une nuance de regret mêlée à une réelle souffrance. Instinctivement, il demanda :

— C'était à cause d'un homme ?

Grace fit la moue.

— J'admire votre perspicacité. Vous savez, cet homme qu'elle a épousé en quittant l'école, c'était mon fiancé.

Ethan ne sut que répondre. Il y eut un silence pesant, que Grace rompit soudain par un petit rire ironique.

— Je suppose que je n'étais pas très difficile, moi non plus. Maintenant, vous comprenez peut-être pourquoi ma réaction n'est pas exactement celle qu'on pourrait attendre. Mais je pleure quand même la mort de ma sœur, à ma façon. Et il va falloir que je continue de vivre, avec tous ces regrets. Voilà la raison pour laquelle je tiens tant à retrouver son assassin, à rendre justice à Amy. Si je n'y parviens pas… si je me laisse submerger par la culpabilité…

Elle battit des paupières, ses doigts se mirent à trembler sur le volant.

— C'est la dernière chose que je puisse faire pour elle, docteur Hunter. Vous comprenez ?

— Je crois.

Ethan était plus ému par le récit de la jeune femme qu'il ne voulait bien l'avouer. Il se tourna pour contempler le paysage par la fenêtre.

— Elle n'avait que vingt-quatre ans, entendit-il Grace murmurer. Avec toute la vie devant elle.

La vue d'Ethan se brouilla brusquement.

— Savez-vous quel âge j'ai ? s'enquit-il de but en blanc.

— D'après Amy, trente-sept ans.

— Je suis toujours marié ?

Grace ne répondit pas tout de suite et il tourna vers elle un regard interrogateur. Elle haussa les épaules.

— Pour autant que je sache, vous lui aviez promis de divorcer, mais vous n'êtes jamais allé plus loin que les promesses.

— Mais alors, ma femme…

— Elle vous attend probablement chez vous. Nous ne tarderons pas à le savoir.

Elle s'engagea dans une longue allée circulaire et se gara devant une immense demeure qui, conformément à ce qu'elle avait annoncé, ressemblait en tout point à une forteresse. Nichée au milieu d'un bois de chênes et de cèdres du Liban, la maison était blanche et avait un aspect plutôt sinistre. C'était pourtant une construction moderne, de quatre étages, comprenant visiblement des patios et des terrasses intérieures. Le rez-de-chaussée, dépourvu de fenêtres, était muni de plusieurs caméras de sécurité.

Les baies vitrées du deuxième étage laissaient filtrer une lumière douce. Ethan observa les lignes austères du bâtiment et se demanda ce qu'il allait découvrir à l'intérieur. Son passé ? Une épouse délaissée ?

La perspective n'avait rien d'attrayant.

— Comment allons-nous entrer ? dit-il d'un ton incertain. Je vous ai dit que je n'avais pas de clé. Et même si je l'avais, je ne saurais pas désactiver le système d'alarme.

— Et pourquoi ne pas sonner, tout simplement ?

Avant qu'il ait pu protester, Grace sortit de la voiture et se dirigea d'un pas décidé vers le portail. Ethan eut l'impression qu'une chape de béton venait de s'abattre sur ses épaules. Grace attendit qu'il fût arrivé à sa hauteur pour presser le bouton de l'Interphone. Au bout de quelques secondes, une voix de femme résonna dans le haut-parleur.

— Oui ?

Grace fit signe à Ethan de répondre. Il s'éclaircit la gorge et annonça :

— C'est moi, Ethan. J'ai oublié ma clé.

Il y eut un silence. Puis la voix de femme résonna de nouveau. Elle avait un fort accent espagnol.

— Docteur Hunter ? Comme je suis contente que vous soyez enfin rentré ! *Un momento, por favor*.

L'ouverture automatique du portail fut actionnée presque immédiatement. Traversant le patio garni de plantes exotiques et luxuriantes, ils se dirigèrent vers la porte d'entrée. Ethan perçut le bruit cristallin du système d'arrosage. Un chien aboya dans le lointain. Son regard se posa sur la lumière rouge clignotante de la caméra de sécurité et une fois de plus, il songea à la jungle. Il revit les yeux qui le guettaient dans l'obscurité.

La porte s'ouvrit et une toute petite femme vêtue d'un uniforme gris et blanc apparut dans un rai de lumière. Elle jeta un coup d'œil à Ethan et poussa un cri, portant vivement la main à sa bouche.

— ¡ *Dios mío !* Docteur Hunter, vous êtes blessé !

— Ça va aller, dit-il d'un ton assuré.

Elle se signa rapidement puis lui prit le bras et continua de marmonner en espagnol tout en le poussant doucement à l'intérieur de la maison.

— Que vous est-il arrivé ?

— C'est une longue histoire.

Tandis que la petite femme s'agitait autour de lui, Ethan observa l'intérieur de la maison en essayant de ne pas se trahir. Mais il réprima malgré tout un mouvement de surprise. L'intérieur de la demeure était encore plus impressionnant que l'extérieur. Le hall d'entrée était décoré dans un style exotique qui évoquait la jungle tropicale. Le même thème était développé dans chaque pièce, comme il s'en rendit compte un peu plus tard, en pénétrant dans le salon du deuxième étage.

Des palmiers et des fougères géantes étiraient leur feuillage vers les hauts plafonds illuminés par des spots à la lumière bleutée. Des orchidées aux magnifiques tons pourpres renforçaient l'atmosphère exotique. Accroché à un perchoir qui traversait la pièce de part en part, un énorme perroquet bleu et jaune dardait sur eux ses petits yeux ronds et noirs.

Ethan eut l'impression d'avoir replongé dans la jungle. Tout à coup, il se sentit en proie à une accablante sensation de claustrophobie. Il se laissa tomber dans un profond fauteuil de cuir noir et souple. La gouvernante approcha un pouf pour qu'il y posât les pieds et continua de tourner autour de lui comme une poule autour d'un poussin.

— Que vous est-il arrivé, docteur Hunter ? Vous avez eu un accident ?

— Il a été agressé, dit Grace.

La domestique pivota sur elle-même, comme si elle prenait seulement conscience de la présence de la jeune femme. Puis elle posa sur Ethan ses grands yeux noirs élargis de terreur.

— Faut-il que j'appelle la *policia ?*

Elle parlait un anglais presque impeccable quand elle le voulait. Ethan eut l'impression qu'elle reprenait à dessein certaines expressions espagnoles, comme pour se raccrocher de temps à autre à un héritage lointain, auquel elle avait renoncé depuis longtemps.

— J'ai déjà parlé à la police, répondit-il.

Elle se tordit les mains nerveusement.

— Je savais que quelque chose n'allait pas. Vous auriez dû être rentré depuis des heures. Quand vous m'avez appelée de l'aéroport de Mexico, vous m'avez dit que votre vol était à l'heure. Et puis vous n'êtes pas arrivé...

Elle s'interrompit et reporta son regard sur Grace.

— Je vous présente Grace Donovan, dit Ethan. C'est elle qui m'a ramené de l'hôpital.

Grace fit quelques pas vers Ethan et tendit aimablement la main à la domestique.

— Enchantée. Excusez-moi, mais je n'ai pas saisi votre nom.

— Je m'appelle Rosa.

Bien joué, songea Ethan. Il n'aurait su dire pourquoi, il préférait ne pas révéler à la gouvernante qu'il était amnésique. Il n'avait pas informé non plus le Dr Kendall ni l'inspecteur Pope de sa perte de mémoire. Il ne s'était confié à personne, excepté à Grace. Pourquoi ? Il n'en savait rien. Peut-être parce qu'elle était la sœur d'Amy et qu'il avait l'impression de lui devoir quelque chose...

Ses doigts se posèrent machinalement sur sa gorge et il éprouva une satisfaction presque perverse en massant les hématomes douloureux.

— Je peux vous servir à boire ? demanda anxieusement Rosa. Du thé ? De l'eau ?

— Non, merci.

Remarquant un sac à main et un cabas posés sur le canapé de cuir blanc, Ethan demanda :

— Vous alliez sortir ?

Rosa parut légèrement mal à l'aise.

— *Sí*. Je comptais dormir chez ma fille, cette nuit. Elle vient d'avoir un bébé, vous vous rappelez ? Son mari s'est absenté et je ne travaille pas demain. Nous en avons parlé par téléphone dans l'après-midi, mais après ce qui s'est passé...

Elle s'interrompit brusquement et considéra Ethan en secouant la tête. Ce dernier porta sans s'en rendre compte une main à son visage meurtri.

— Ne vous inquiétez pas. C'est moins grave que ça n'en a l'air. Allez chez votre fille, je peux me débrouiller tout seul.

Ses paroles ne semblèrent pas convaincre Rosa, mais Grace intervint vivement.

— Ne vous inquiétez pas pour le Dr Hunter, Rosa. Je m'occuperai de lui.

Le visage de Rosa se rembrunit et elle protesta, d'un air désapprobateur :

— Et la *señora* Hunter ?

Ethan se crispa et demanda :

— Eh bien, quoi ?

Rosa hésita un instant, avant d'expliquer d'une voix rapide :

— Elle a appelé il y a un moment. Le Dr Kendall l'a prévenue que vous alliez rentrer ce soir. Si elle vient et vous trouve...

La gouvernante lança un regard en coin à Grace et ajouta :

— La dernière fois, l'acide… sur votre voiture.

Ethan échangea un bref regard avec Grace.

— Ne vous en faites pas, Rosa, reprit-il. Je me débrouillerai avec elle. Partez tranquillement chez votre fille. J'insiste.

Rosa regarda de nouveau Grace, elle secoua la tête en marmonnant :

— Des ennuis, il va y avoir beaucoup d'ennuis…

Puis elle ramassa ses bagages et sortit.

Grace fit le tour du magnifique salon tandis qu'Ethan raccompagnait Rosa au rez-de-chaussée. Elle les entendit échanger quelques mots à voix basse mais ne put saisir ce qu'ils disaient. Au bout d'un moment leurs voix disparurent et elle pensa qu'ils étaient sans doute passés à l'arrière de la maison pour se rendre dans le garage.

Ethan revint quelques minutes plus tard, entrant dans le salon par une porte différente. Surprise, Grace tressaillit et se tourna vers lui.

— Tout va bien ?

Il acquiesça en hochant la tête.

— J'ai expliqué à Rosa qu'à cause du choc que j'avais subi, ma mémoire me jouait des tours et je lui ai demandé de me rappeler le code du système d'alarme. Tout est en ordre à présent.

— Cette idée me plaît, murmura Grace.

Elle réprima un sourire en sentant le poids de son arme dans son sac à main. Grâce au ciel, elle n'avait pas eu besoin de s'en servir pour persuader Hunter de coopérer. Du moins, pas encore…

— Avez-vous eu une explication au sujet de cette histoire sur votre femme ? La voiture, l'acide… Je me demande ce qui s'est passé.

Ethan pinça les lèvres.

— Je ne suis pas sûr d'avoir envie de le savoir. Apparemment nous n'avons pas une relation très harmonieuse.

Grace devina que les paroles de Rosa l'avaient affecté plus profondément qu'il ne voulait le laisser paraître.

— Croyez-vous qu'elle a découvert que vous aviez une liaison avec Amy ?

Ethan se détourna, l'air sombre.

— Je ne suis pas tenté pour l'instant de me lancer dans des suppositions sur l'état de mon mariage.

— Pourtant il le faut, rétorqua Grace. C'est sans doute de cette façon que nous comprendrons ce qui s'est passé.

Il pivota sur ses talons et fixa Grace de ses yeux sombres.

— Vous pensez que ma femme a quelque chose à voir dans le meurtre d'Amy ?

— Ce ne serait pas la première fois que la jalousie ferait perdre la tête à une femme, dit-elle en haussant les épaules.

Le regard d'Ethan s'assombrit encore davantage.

— Amy y a-t-elle fait allusion dans ses lettres ? Avait-elle peur de ma femme ?

— Elle parlait d'elle quelquefois. Je sais qu'elle s'appelle Pilar et je crois qu'il y a eu quelques problèmes avec elle. Mais sur un autre plan, d'après ce que j'ai compris. Il me semble que cela concernait votre clinique au Mexique. Si vous vous en sentez le courage, je pense que nous devrions relire ses lettres ensemble. Il se peut qu'un détail vous aide à recouvrer la mémoire.

Ethan se passa une main dans les cheveux et se mit à arpenter nerveusement la pièce.

— Nous ne sommes pas obligés de le faire tout de suite, murmura Grace.

Il ne parut pas l'entendre. Ses doigts effleurèrent le plateau d'une table, le dossier d'une chaise, comme s'il cherchait à se pénétrer de l'essence de la pièce, à deviner à travers ces objets quel homme il avait été.

Au bout d'un moment, le silence qui s'éternisait finit par porter sur les nerfs de la jeune femme.

— Cette pièce est étonnante, fit-elle remarquer en se rapprochant de lui.

Il laissa son doigt glisser le long de la tige d'une fleur exotique puis la brisa du bout de son pouce, comme si la plante n'était ni plus rare ni plus précieuse qu'un vulgaire liseron. Des pétales écarlates se répandirent comme des gouttes de sang sur le plateau de verre de la table.

— Cet endroit ressemble plus à une prison qu'à une maison, dit-il enfin.

— Une prison ? répéta Grace en englobant du regard la pièce spacieuse.

Les feuillages denses donnaient l'impression d'être en pleine nature et de larges verrières s'ouvraient sur le ciel sombre et étoilé.

— Moi, je trouve que ça ressemble plutôt à la jungle, dit-elle avec un large geste de la main. C'est sauvage. Primitif. Regardez, on voit même la pleine lune.

Ethan leva les yeux et Grace crut le voir frissonner. Il lui tourna le dos et se dirigea vers une porte à l'autre extrémité du salon. Il l'ouvrit et donna de la lumière.

— Qu'y a-t-il ici ? s'enquit Grace en le suivant.

— On dirait un bureau.

— C'est sans doute là qu'il faut commencer à chercher des indices, vous ne pensez pas ?

Elle sentit qu'il était tendu. Il semblait ne pas avoir envie de pénétrer dans la pièce.

— Voulez-vous que j'entre la première ?

— Non, lança-t-il par-dessus son épaule. Je vais y jeter un coup d'œil.

Grace fronça les sourcils. De toute évidence il préférait qu'elle ne le suive pas. Avait-il peur de ce qu'elle pourrait y trouver ?

Elle retourna au milieu du salon. Un mouvement à sa droite la fit sursauter et elle pivota sur elle-même, agrippant instinctivement l'arme cachée dans son sac. Mais elle vit qu'il ne s'agissait que de l'énorme perroquet qui lissait ses plumes. Elle avait oublié sa présence. L'animal s'était tenu tranquille depuis leur arrivée, mais tout à coup il semblait agité.

Grace s'approcha prudemment du perchoir. L'oiseau n'était pas attaché et il pouvait sans doute voler librement dans la pièce si l'envie lui en prenait. Mais il se contenta de faire deux petits pas sur le côté, sans quitter son perchoir.

Il y avait une cage près de lui, dont la porte était ouverte. C'était là probablement que se trouvaient son eau et sa nourriture. Grace recula un peu et observa l'oiseau un moment. Il la fixa de ses petits yeux noirs et ronds.

— Eh, dit-elle à mi-voix pour ne pas l'effrayer. Quel est ton nom ?

L'animal continua de la regarder en penchant la tête de côté.

— Qu'y a-t-il ? poursuivit Grace. Le chat t'a mangé la langue ?

A peine eut-elle prononcé ces mots, que l'animal se mit à battre vigoureusement des ailes en laissant échapper des cris perçants. Avec un petit cri de frayeur, Grace leva les bras pour se protéger. Mais le perroquet ne fit pas mine de l'attaquer. Elle soupira de soulagement et se détendit.

— Désolée, dit-elle. C'était juste une façon de parler.

Etait-ce un effet de son imagination ou l'oiseau avait-il réellement pris un air boudeur ? Décidant qu'il valait mieux faire la paix, elle s'approcha du perchoir et demanda :

— Tu veux un biscuit ?

— Quelle belle paire de nichons ! hurla le perroquet.

Grace tressaillit, choquée par la grossièreté de ses paroles.

— Qu'est-ce que tu as dit ?

L'animal répéta sa phrase.

— J'avais donc bien entendu.

L'oiseau se redressa et gonfla ses plumes d'un air important.

— Je crois qu'ils sont faux, ajouta-t-il.

— Qu'est-ce que tu en sais, espèce de volatile !

Le ton de la jeune femme sembla l'exciter, car il fit quelques pas sur son perchoir en poussant des cris rauques, puis lança :

— Ils ne sont pas vrais ! Ils ne sont pas vrais ! Je le sais bien, sacré nom !

— Mais tu exagères !

Grace fit quelques pas dans sa direction d'un air menaçant, mais l'oiseau se mit à faire tant de raffut qu'elle battit aussitôt en retraite.

— Que se passe-t-il ? lança Ethan derrière elle. Il m'a semblé entendre des voix.

— Votre petit ami et moi, nous nous sommes lancés dans un concours de voix.

— Cet animal sait parler ? s'enquit Ethan en approchant du perroquet.

— A votre place je garderais mes distances. Il est un peu… imprévisible.

Mais l'animal dévisagea tranquillement Ethan, sans broncher. Au bout d'un moment, Ethan demanda :

— Comment t'appelles-tu, mon vieux ?

— Comment t'appelles-tu, mon vieux ? répéta l'oiseau en imitant parfaitement sa voix.

Ethan éclata d'un rire sonore et Grace sentit un long frisson lui parcourir le dos.

— Je m'appelle Ethan. Enfin, je crois.

— Je m'appelle Ethan, fit le perroquet de sa voix rauque.

Ethan désigna Grace du regard et ajouta :

— Et cette jeune femme s'appelle Grace.

— Quelle belle paire de nichons !

Ethan sursauta et se tourna vers la jeune femme. Elle vit une lueur d'amusement luire dans ses yeux bruns. Et elle sentit son visage s'enflammer lorsque le regard de son compagnon effleura imperceptiblement sa poitrine.

Ethan reporta son attention sur le perroquet.

— Que sais-tu dire d'autre ?

— Je crois qu'ils sont faux, déclara l'oiseau en dardant ses petits yeux sur Grace.

Puis il fit quelques pas en se pavanant et se remit à lisser son somptueux plumage.

— Tu es fier de toi, hein ? marmonna-t-elle. Pourquoi ne t'en prends-tu pas à lui, pour changer ? ajouta-t-elle en désignant Ethan du doigt.

Le perroquet pencha la tête et considéra Ethan, comme s'il comprenait parfaitement chaque mot prononcé.

— Eh, beau gosse…

— Bon, ça suffit maintenant ! s'exclama Grace en levant les mains devant elle.

Elle s'interrompit brusquement en s'apercevant que le visage d'Ethan s'était figé dans une expression de stupeur.

— Que se passe-t-il ? Vous venez de vous rappeler quelque chose ? demanda-t-elle alors qu'il se détournait.

Le perroquet siffla longuement et répéta :

— Salut, beau gosse ! Salut, beau gosse !

Ethan crispa les mâchoires.

— Non, ce n'est pas ça, murmura-t-il en évitant le regard de la jeune femme. Je suis fatigué. J'aimerais me reposer à présent.

Grace saisit le message. Ethan voulait qu'elle s'en aille, et il n'avait pas l'intention de l'inviter à passer la nuit ici. Mais elle ne tenait pas à le perdre de vue. D'autre part, contrairement à ce qu'il venait de dire, elle était certaine que le perroquet venait de déclencher quelque chose dans ses souvenirs.

— Je ne crois pas que ce soit une bonne idée de rester seul cette nuit.

Ethan haussa les épaules.

— Cette maison est une forteresse, vous l'avez dit vous-même. Maintenant que je sais enclencher le système d'alarme, je n'ai plus rien à craindre.

Grace se mordit la lèvre.

— Peut-être. Mais il n'y a pas que ça. Les blessures dont vous souffrez ne sont pas négligeables. Un traumatisme crânien ne doit pas être pris à la légère.

Il la considéra d'un air ironique.

— Ne vous en faites pas pour moi. Je suis médecin, vous savez.

Grace n'était en rien rassurée par ces paroles. Mais que faire ? Braquer son arme sur lui pour l'obliger à la laisser rester ici ? Elle joua du bout des doigts avec la bandoulière de son sac.

— Si vous êtes sûr…

— Nous discuterons demain, déclara-t-il d'un ton sans réplique.

— Dans ce cas, je passerai demain matin, concéda-t-elle à regret.

Ils descendirent ensemble et, dans l'escalier, Ethan lui prit le bras. Grace ne fit pas mine de se dégager. En fait, elle se rendit compte avec une pointe d'étonnement qu'elle n'avait pas envie de s'écarter de lui. Le contact de sa main lui fit éprouver un frisson sensuel. Loin d'être effrayée elle songea avec délice qu'elle était vivante et qu'elle était encore une femme. Il y avait si longtemps, bien trop longtemps, qu'aucun homme n'avait eu ce genre de geste pour elle.

Quand ils furent parvenus dans le hall, Ethan débrancha l'alarme et pressa toute une série de boutons afin d'actionner l'ouverture automatique du portail. Puis il suivit Grace à l'extérieur et ils se dirent au revoir dans l'allée.

Il était près de minuit. L'air avait fini par rafraîchir. Une brise légère et paresseuse faisait bruire doucement les branches des arbres. La pleine lune illuminait le ciel et ses rayons argentés faisaient scintiller comme des diamants les milliers de gouttes d'eau répandues sur la pelouse par l'arrosage. Les belles-de-nuit avaient déployé leurs corolles.

Le ciel était beau, clair et étoilé. Mais Grace savait qu'elle ne devait pas se laisser tromper par le charme magique de cet instant. Elle scruta le regard d'Ethan et se demanda quels secrets se cachaient dans la profondeur sombre de ses pupilles.

La clarté pâle de la lune adoucissait ses traits contusionnés et pendant une fraction de seconde, Grace crut apercevoir son vrai visage. Elle retint son souffle en songeant à ce qu'elle lui avait dit un peu plus tôt. Il était très beau. Mais elle était persuadée que son charme devait moins à son apparence physique qu'à l'homme qu'il était à l'intérieur. Aux mystères qu'il avait involontairement enfouis dans sa mémoire.

Elle éprouva tout à coup une irrésistible envie de l'embrasser. Parviendrait-elle ainsi à éveiller suffisamment d'émotions en lui pour révéler ces secrets ?

Ethan se tourna et croisa son regard. Elle se demanda un instant s'il devinait ce qu'elle pensait. S'il savait ce qu'elle désirait en ce moment précis.

Elle était presque certaine que c'était le cas.

— Il faut que je m'en aille, murmura-t-elle en se rendant compte un peu tard que la situation était devenue dangereuse pour elle.

Mais alors qu'elle faisait mine de s'éloigner, il lui agrippa le bras, l'obligeant à se retourner. Leurs regards se croisèrent de nouveau. Celui d'Ethan était profond, empreint de mystère. Elle craignit que le sien, au contraire, ne soit trop ouvert et révélateur.

— Merci de m'avoir ramené chez moi, dit-il.

La jeune femme se sentit troublée par sa voix grave et rauque.

— Inutile de me remercier, dit-elle. J'avais mes raisons.

Ethan baissa la tête, évitant son regard, et ajouta :

— Je suis désolé pour Amy. J'espère que vous me croyez.

En entendant Ethan prononcer ces paroles, elle revit le visage de sa sœur et se rappela la raison exacte de sa présence ici.

— Si vous êtes sincère, dit-elle doucement, presque à regret, je n'aurai pas besoin de vous convaincre de m'aider à retrouver l'assassin.

— Je pense que nous n'aurons pas à le chercher longtemps, répliqua Ethan en fouillant l'obscurité du regard. C'est lui qui nous trouvera. En fait, je ne serais pas étonné qu'il soit déjà là, en train de nous surveiller.

A ces mots, Grace ne put s'empêcher de jeter un coup d'œil par-dessus son épaule. Elle frémit et crispa la main sur son sac, résistant à la tentation de sortir son arme.

— Vraiment ? Vous croyez ?

Pour toute réponse, Ethan se contenta de hausser les épaules. Grace exhala un long soupir.

— Vous m'avez donné la frousse. Vous pensez réellement que vous pouvez rester seul ?

— Il ne fera pas d'autre tentative ce soir. C'est trop tôt.

Intriguée, Grace fronça les sourcils.

— Comment le savez-vous ?

Il la regarda et elle vit la confusion s'inscrire dans son regard.

— Je ne sais pas, dit-il d'une voix sourde, mais je le sais.

Ethan regarda la voiture de Grace redescendre l'allée, puis s'engager dans la rue. En quelques secondes, les feux du véhicule furent avalés par la nuit. Alors seulement, il regagna la maison, referma le portail et rebrancha le système d'alarme. Il monta l'escalier et pendant plusieurs secondes, demeura immobile sur le seuil du salon, peu désireux de retraverser cette jungle artificielle.

Un profond malaise s'empara de lui. Il essaya de se convaincre que cela n'avait rien d'anormal. Il était amnésique. On avait voulu le tuer ce soir et la sœur de sa maîtresse le tenait pour responsable de sa mort. N'était-il pas naturel dans ces conditions qu'il se sentît mal à l'aise ?

Mais il y avait plus que cela. Il se demanda si son malaise ne concernait pas Grace elle-même, plutôt que les accusations qu'elle portait contre lui, ou même la situation étrange dans laquelle il se trouvait…

Elle ne lui avait pas tout dit. Il savait instinctivement que Grace Donovan lui cachait quelque chose. Il avait pourtant vu le chagrin dans les yeux de Grace quand elle avait parlé de sa sœur. Il était certain que son émotion était bien réelle et pourtant, le doute ne le quittait pas. La réaction de la jeune femme n'était pas celle de quelqu'un qui vient juste d'apprendre que sa sœur a été assassinée. La culpabilité, la colère, le besoin obsessionnel de retrouver l'assassin, tout cela, c'étaient des sentiments qui auraient dû apparaître beaucoup plus tard.

Alors que se passait-il en réalité ? Pourquoi Ethan avait-il l'impression de n'être qu'un pion dans un jeu très dangereux ?

Et Grace, dans quel camp se trouvait-elle ? Celui des joueurs, ou celui des pions ?

Elle lui avait expliqué sa relation chaotique avec Amy. Un homme les avait séparées et elles ne s'étaient pas parlé pendant des années. Jusqu'à ce qu'Amy contacte Grace pour lui parler de sa liaison avec Ethan.

Il fouilla dans sa mémoire, cherchant vainement un souvenir d'Amy Cole ou de ce qu'il avait éprouvé pour elle. Il ne trouva rien. Et, pour une raison inexplicable, il était presque certain que cette femme n'avait jamais rien représenté pour lui.

Quel genre d'homme était-il donc ? Un homme prêt à se servir d'une femme, puis à l'écarter ensuite de sa route sans le moindre remords ? Etait-ce ainsi qu'il s'était comporté avec son épouse ?

Le parfum lourd des orchidées lui donna mal à la tête. Ethan quitta le salon et alla se réfugier dans le bureau adjacent. Il ne voulait penser ni à sa femme ni à Amy Cole. Et comme il ne se souvenait ni de l'une ni de l'autre, il lui fut assez facile de les chasser de ses pensées.

Pour Grace Donovan, en revanche, c'était une autre histoire.

A la seule pensée de la jeune femme, Ethan sentit son malaise fondre de nouveau sur lui. Et brusquement, il comprit ce qui provoquait cette sensation. Du moins, en partie. Grace l'attirait. Elle l'avait attiré tout de suite.

Certes, elle n'était pas vraiment belle. Mais elle était séduisante, à sa façon. Et même assez fascinante. Ses yeux… Elle avait des yeux à faire damner un saint. Elle n'était ni grande ni mince, mais elle avait des courbes sensuelles, féminines. Quand il l'avait serrée contre lui, sur le parking de l'hôpital, il avait senti son corps se tendre avec grâce.

C'était le genre de femme qui saurait se défendre si l'occasion se présentait et cela la rendait encore plus attrayante. Elle n'avait pas besoin qu'on veille sur elle, qu'on la protège. Cette idée, loin d'égratigner son ego et de le rebuter, ne faisait que piquer sa curiosité. Cela le poussait à se poser des questions sur elle… des questions qui n'auraient jamais dû se présenter à son esprit. Après tout il était marié, même s'il ne se souvenait pas de sa femme.

En entrant dans le bureau qu'il avait laissé allumé, il décida d'oublier Grace et de se concentrer sur son environnement. Il devait bien y avoir quelque chose dans cette pièce qui évoquerait un souvenir. Quelque chose qui lui donnerait un indice sur l'affaire à laquelle il était mêlé. L'affaire qui avait conduit au meurtre d'Amy Cole.

Lentement, il fit le tour de la pièce en examinant les diplômes encadrés et les certificats auxquels il avait à peine jeté un coup d'œil tout à l'heure. Il avait fait ses études à Harvard et à John Hopkins. Il était un chirurgien plasticien qui avait reçu des douzaines de récompenses, et avait entretenu une correspondance avec des sommités du monde entier.

L'une des lettres accrochées au mur portait la signature du président des Etats-Unis et le félicitait pour le travail qu'il accomplissait auprès des enfants pauvres nés avec des difformités du visage.

Ethan contempla ses mains. Avait-il vraiment la possibilité, en maniant un scalpel, de changer la vie d'enfants déshérités ?

Ce talent, développé au cours des années, avait-il été anéanti par l'amnésie qui le frappait ?

A en juger par ces lettres et ces articles de journaux, le Dr Ethan Hunter n'était pas seulement un chirurgien brillant. Il accomplissait aussi une grande œuvre humanitaire. Mais s'il était un type aussi extraordinaire… pourquoi diable quelqu'un voulait-il le tuer ?

Un pan de mur entier de son bureau était consacré aux articles qui avaient été écrits sur lui. Il n'y figurait qu'une seule photo. Pour une raison qu'il ne parvenait pas très bien à s'expliquer, Ethan ne lui jeta qu'un bref coup d'œil. Il savait que c'était une photo de lui. Malgré l'état pitoyable de son visage en ce moment, il reconnut ses traits. Les yeux bruns, les cheveux noirs, le nez et le menton un peu anguleux… c'était bien ce qu'il avait vu dans le miroir de la voiture.

Et pourtant…

C'était lui sans être lui.

Impossible d'établir le moindre rapport entre lui et l'homme de la photo. Il se résolut à décrocher le portrait du mur pour l'examiner de plus près. Il l'emporta sur le bureau et alluma une lampe de cuivre au passage. Assis dans le fauteuil, la photo posée en face de lui, il lutta contre un étourdissement et s'obligea à regarder ce reflet de lui-même, à étudier et à absorber ses propres traits.

La photo le représentait debout devant un bâtiment blanc d'un étage. A l'arrière-plan, une végétation tropicale. Un homme plus vieux et plus petit que lui, portant une fine moustache noire, posait à son côté. Ethan avait passé un bras sur son épaule. Tous deux vêtus de pantalons kaki et de chemises blanches, ils souriaient. Mais il y avait quelque chose dans l'expression d'Ethan et dans les yeux de son compagnon…

Cet homme avait peur, songea Ethan tout à coup. Malgré le sourire qu'il arborait, malgré le bras qu'Ethan avait posé sur son épaule dans un geste rassurant, il eut la certitude que l'homme à la moustache était mort de frayeur.

Choqué par cette découverte, Ethan se força à lire l'article qui accompagnait la photo. Celui-ci concernait la réouverture de la clinique dans la jungle mexicaine, après qu'une demi-douzaine de *banditos* l'eurent attaquée pour y voler de la drogue et l'eurent presque entièrement détruite. L'homme à la moustache était le Dr Javier Salizar, un pédiatre qui travaillait à plein temps à la clinique et qui était de service la nuit où les brigands avaient attaqué.

Par chance, aucun patient ne dormait à la clinique cette nuit-là. Le Dr Salizar se trouvait seul et il avait été obligé de s'enfuir dans la jungle où il était resté caché jusqu'à ce que les assaillants, s'étant emparés de ce qui les intéressait, soient repartis après avoir mis le feu au bâtiment.

D'après l'article, Ethan avait pioché dans ses deniers personnels pour restaurer la clinique et avait même participé activement à sa reconstruction. Il avait consacré des mois à sa remise en état et les habitants des villages environnants le révéraient comme un dieu.

Cet article perturba Ethan, sans qu'il comprît la raison de son trouble. Il pressentait qu'un événement louche avait eu lieu dans cette clinique. Quelque chose qui l'avait obligé à fuir dans la jungle, comme le Dr Salizar. Mais au contraire de ce dernier, il n'était pas poursuivi par des *banditos*…

Dans son rêve, Ethan n'avait pas vu les hommes qui le poursuivaient, mais il savait pourtant qu'ils portaient des uniformes et des fusils. Les autorités mexicaines avaient voulu le tuer, mais il ignorait pourquoi.

Tout ce qu'il savait, c'est qu'un lien obscur et dangereux le rattachait à cette clinique. A cette jungle. Et aux tueurs qui l'avaient poursuivi au Mexique, puis jusqu'à Houston. Chez lui.

Les mains tremblantes, Ethan repoussa la photo et fouilla dans les dossiers qui jonchaient le bureau. Il alluma l'ordinateur portable et regarda les dossiers qu'il contenait. Aucun n'éveilla chez lui un souvenir. Les cas qu'il avait étudiés, les notes médicales, les noms des patients, tout cela aurait pu être écrit dans une langue étrangère.

Pourquoi n'y avait-il rien dans cette pièce capable de stimuler sa mémoire ? Pourquoi ne parvenait-il pas à s'imaginer dans la peau d'un médecin ?

Il se mit à fouiller le bureau presque frénétiquement. Tout au fond d'un tiroir, un cadre doré accrocha son regard. Il était posé à l'envers, sous une pile de classeurs. Ethan le sortit et découvrit le portrait d'une femme.

Ce n'était ni un cliché amateur ni une photo découpée dans un magazine. Le portrait avait été fait dans le studio d'un professionnel, avec un éclairage qui mettait habilement en valeur les yeux d'ébène de la jeune femme et ses lèvres couleur de rubis. Sa chevelure noire, épaisse et brillante, avait été rejetée en arrière pour mieux révéler son visage à l'ovale absolument parfait et son teint sans défaut.

Aussi fascinante qu'une actrice de cinéma ou qu'un top model, la jeune femme se tenait devant un immense piano à queue. Elle portait un fourreau de soie noire découvrant complètement ses épaules et de longs gants noirs. Son corps, bien que très mince, avait des courbes voluptueuses. Sculpturale… c'était le premier mot qui venait à l'esprit.

Elle ne souriait pas, mais ses lèvres étaient légèrement entrouvertes en une moue séduisante. Elle avait des paupières lourdes et sensuelles. Au bas de la photo, elle avait écrit à l'encre rouge : « Pour mon mari, avec tout mon amour et ma gratitude. Pilar. »

C'était donc elle, la femme d'Ethan. Il sut instinctivement qu'elle avait fait faire ce portrait tout exprès pour lui. Il se trouvait maintenant enfoui au fond d'un tiroir, à l'envers…

Ethan contempla longuement la photographie, en se demandant combien de temps ils avaient été mariés et pourquoi les choses s'étaient gâtées entre eux. Cette femme était exquise en apparence, cependant cette extrême perfection le laissait de glace.

Soudain, il pensa à Grace. A ses traits un peu irréguliers, à ses courts cheveux auburn, à ses lèvres qui sans être minces ni pulpeuses étaient pour lui exactement ce que devaient être les lèvres d'une femme. Ses yeux d'un bleu limpide contenaient plus de vie et plus de mystère que ceux de cette femme, pour parfaits qu'ils fussent.

Perturbé par ses pensées, Ethan remit le portrait à sa place et referma le tiroir. Ce n'était pas juste, d'affubler de défauts supposés une femme dont il ne gardait pas le moindre souvenir, afin de justifier son attirance pour Grace.

Avait-il essayé de justifier de la même façon son aventure avec Amy Cole ? Y avait-il eu d'autres femmes, pendant ses années de mariage ?

Quelle sorte de mari était-il pour traiter son épouse avec tant de désinvolture ?

Quel genre de médecin était susceptible d'être poursuivi dans la jungle par la *policia* ?

Grace referma la porte de sa chambre d'hôtel derrière elle et tourna la clé dans la serrure. Après avoir jeté sa veste sur une chaise, elle se laissa tomber sur le lit, ôta ses chaussures et s'adossa aux oreillers. Puis elle sortit son téléphone cellulaire de son sac et appuya sur une touche pour obtenir un numéro préenregistré.

Malgré l'heure tardive, une femme à la voix rauque répondit dès la première sonnerie.

— Allô ?

— C'est Grace.

Il y eut une courte pause et la femme demanda :

— Tout va bien ?

— Amy est morte, Myra.

— Oui, je sais.

— Mais que diable s'est-il passé ce soir ? s'exclama Grace. Qu'est-ce qui a raté ?

— Tout. Hunter n'était pas censé revenir à Houston avant au moins deux semaines. Cela nous aurait laissé le temps de lui tendre un piège. Mais maintenant...

Myra Temple laissa les mots mourir sur ses lèvres tandis que Grace l'entendait rejeter la fumée d'une cigarette avec un soupir d'exaspération.

— Nous avons été obligés d'agir à la hâte, avec les moyens du bord, et nous avons raté notre coup. Ça arrive.

— Oui, mais cette fois-ci une femme l'a payé de sa vie, rétorqua Grace avec colère.

Myra semblait plus préoccupée par l'échec de l'opération que par la mort d'Amy. Grace n'aurait pas dû en être étonnée. Cette femme d'une extrême froideur était une vraie professionnelle. Et jusqu'à ce soir, Grace était persuadée d'être devenue, en tout point, comme son mentor. Elle avait cru avoir suffisamment de cran pour faire tout ce qui était nécessaire afin de traîner un assassin devant la justice.

Mais après ce qui s'était passé ce soir…

— Amy aurait dû se trouver sous surveillance. Pourquoi ne l'était-elle pas ?

— Elle l'était, répliqua Myra d'un ton sec. Mais elle a réussi à nous échapper, je ne sais comment. Je pense qu'après nous avoir parlé hier, elle a paniqué. Elle a regretté ce qu'elle avait fait et a pris contact avec Hunter, probablement par téléphone cellulaire, pour l'avertir qu'il serait accueilli par les fédéraux en débarquant à Houston. Puis elle a trouvé moyen de quitter son appartement sans qu'on s'en aperçoive.

— Comment ? demanda Grace.

— Elle a peut-être mis une perruque et emprunté la voiture de son voisin. Comment le saurais-je ? Il faut dire que nous ne sommes pas aidés par les idiots qui travaillent sur le terrain ici. On ne peut pas compter sur eux, ils ne reconnaîtraient pas leur propre mère. En tout cas, Amy a été plus maligne que je ne le pensais.

Il y avait dans le ton sur lequel elle prononça ces paroles un mélange de dépit et d'admiration.

— Et comment le Dr Hunter a-t-il pu nous échapper ? Tu surveillais toi-même l'aéroport, reprit Grace.

Il y eut un silence pesant.

— Il n'a pas débarqué à Bush Intercontinental Airport, finit par déclarer Myra, visiblement agacée par le reproche à peine voilé de Grace. Je te garantis que s'il était passé devant moi, je l'aurais reconnu. Nous sommes en train de vérifier tous les aéroports privés, mais il a pris l'avion, c'est sûr. Il a dû contacter Amy pendant le voyage et ils ont décidé de se retrouver à la clinique.

Le cœur de Grace se mit à cogner un peu plus fort dans sa poitrine.

— Myra, tu ne penses pas que…

— Quoi ?

Grace se crispa. Ses doigts se serrèrent sur le petit téléphone.

— Tu ne penses pas que c'est *lui* qui a tué Amy, n'est-ce pas ? Parce qu'il avait découvert qu'elle avait parlé ?

Il y eut une autre pause. Puis Myra répondit :

— C'est possible, mais je ne le crois pas. Je pense qu'il a été suivi, sans doute depuis Mexico, puis attaqué à la clinique. Je crois que nous savons toutes les deux qui a tué Amy Cole, Grace.

Grace ferma les yeux. Un nom remonta à sa mémoire. Un visage surgit de ses cauchemars. Celui de Trevor Reardon. L'homme qui avait changé à jamais le cours de sa vie.

— Au fait, reprit Myra d'une voix plus douce. Tu as eu une idée brillante en te faisant passer pour la sœur d'Amy.

C'était plutôt un acte de désespoir, songea Grace.

— En réalité, c'est Amy qui avait eu cette idée, expliqua-t-elle. Elle m'avait présentée à l'une de ses voisines en disant que j'étais sa sœur. Plus tard elle m'a raconté qu'elle n'avait aucune famille, mais que personne n'était au courant à Houston, car elle n'aimait pas parler de son passé.

Quand Grace avait appris, en arrivant à l'hôpital, qu'Amy était morte et qu'Ethan Hunter avait été gravement blessé, elle s'était dit qu'il fallait trouver un prétexte pour entrer en contact avec lui. Si tout ce qu'Amy lui avait raconté était vrai, Grace était certaine qu'Ethan se méfierait des autorités. Il n'était pas question de lui dire la vérité, car il ne lui ferait pas confiance et n'accepterait pas de coopérer avec elle. Sur une impulsion, elle avait décidé d'endosser l'identité de la sœur d'Amy. Une femme qui désirait autant qu'Ethan rattraper l'assassin.

Grace se demanda si sa ruse avait fonctionné ou si Ethan avait des soupçons, lui aussi.

— Ecoute, reprit-elle en passant les doigts dans sa frange auburn. Il y a autre chose que nous n'avions pas prévu. Le Dr Hunter prétend qu'il est amnésique.

— Je sais. D'après son dossier médical, il souffre d'une perte de mémoire temporaire, due à une légère commotion.

Grace aurait dû se douter que Myra avait pris tous les renseignements possibles. Elle avait probablement passé la chambre d'hôpital au peigne fin.

— Je crains que son état ne soit un peu plus préoccupant, dit-elle. Il prétend ne pas se souvenir d'Amy. Ni même de son propre nom, en fait.

Elle entendit Myra inspirer brusquement à l'autre bout du fil.

— Tu veux dire qu'il ne se souvient de *rien* ?

— C'est ce qu'il dit.

Elle eut l'impression que les rouages du cerveau de Myra se mettaient à tourner à toute allure. Au bout de quelques secondes, celle-ci demanda :

— Tu crois qu'il joue la comédie ?

Grace revit l'expression sombre et confuse d'Ethan, l'air de désespoir qui s'était inscrit sur ses traits. Etait-ce une réaction à l'attaque qu'il avait subie à la clinique ? Ou bien la preuve du désarroi dans lequel le plongeait l'amnésie ?

Elle se rendit compte qu'elle avait envie de croire ce qu'il disait. Cette idée l'effraya. Il était impératif de demeurer objective. Impartiale. Une vraie professionnelle.

Tout à coup, elle se demanda ce que penserait Myra si elle apprenait qu'elle éprouvait une certaine attirance pour le Dr Hunter. L'écarterait-elle de l'affaire ?

— Eh bien, qu'en penses-tu ? reprit Myra avec impatience.

Grace sortit de sa rêverie et se rendit compte qu'elle avait gardé le silence quelques secondes de trop. Elle prit une inspiration avant de répondre en s'efforçant d'adopter un ton indifférent :

— Au début j'ai cru qu'il simulait, car Amy l'avait mis en garde. Après tout la coïncidence était un peu trop forte. Mais après avoir passé quelques heures avec lui, j'ai plutôt tendance à le croire. Il m'a paru réellement désemparé.

— Alors peut-être que ça ne change rien, répondit Myra, pensive. Réfléchissons une minute. Qu'il simule ou pas, tu peux continuer de prétendre être la sœur d'Amy. Si celle-ci t'a dit la vérité, personne ne viendra contester ton identité. Et si Hunter est *vraiment* amnésique, la situation pourrait tourner à notre avantage. Il sera plus facile à contrôler.

Grace songea au visage contusionné d'Ethan et quelque chose palpita au creux de son estomac. Etait-ce un sentiment de pitié ? Ou bien de culpabilité ?

Après tout, c'était peut-être simplement de la peur. Mais pour Grace, la peur était à coup sûr la plus dangereuse des émotions.

— Tu n'as pas de scrupules à te servir de lui, au moins ? s'enquit Myra d'un ton détaché.

Grace se tint aussitôt sur ses gardes. Myra essayait-elle de la mettre à l'épreuve ? Elle serra le téléphone entre ses doigts et répondit d'un ton ferme :

— Pas du tout. Ethan Hunter représente le moyen d'arriver à mes fins. Rien de plus.

— Tant mieux, répliqua Myra avec satisfaction. Nous approchons du but, Grace. Tu t'en rends compte ?

68

Grace sentit son estomac se contracter. L'excitation ? La peur ?

— Oui, dit-elle simplement.

— Cette histoire d'amnésie tombe peut-être à pic, en fin de compte. C'est tout à fait ce qu'il nous faut pour obtenir la coopération de Hunter. Mais il faut quand même être prudente. Ne rien faire, ne rien dire, qui puisse lui mettre la puce à l'oreille. Je n'ai pas besoin de te rappeler qu'une seule fausse manœuvre peut faire rater toute l'affaire.

— Ne t'inquiète pas.

Calant le téléphone sur son épaule, elle retira le SIG-Sauer de son sac et s'assura que l'arme n'était pas chargée. Puis elle glissa méthodiquement les balles dans le chargeur, soulagée de constater que ses gestes étaient sûrs et qu'elle ne tremblait pas. Elle avait des nerfs d'acier.

— Il y a longtemps que j'attends ça, dit-elle.

— Je sais. Mais rappelle-toi qu'il ne s'agit pas d'une vengeance personnelle. Il faut garder la tête froide. Si tu éprouves la moindre émotion, tu es une femme morte.

— Je comprends. Ne t'en fais pas pour moi. Tu m'as bien entraînée.

— Je l'espère, répondit doucement Myra. Je l'espère…

Quand la communication fut terminée, Grace se servit un whisky avec des glaçons et sortit sur le minuscule balcon de sa chambre. Bien qu'on soit au milieu de la nuit, il faisait encore chaud. Chez Ethan les feuillages tropicaux donnaient l'illusion de la fraîcheur, à l'intérieur comme à l'extérieur. Mais ici la chaleur s'accrochait au bitume.

Grace colla le verre contre sa nuque et sentit les gouttelettes de condensation glacées couler sur sa peau. Dans sa tête, les événements de la soirée se mêlèrent aux souvenirs du passé. Comme c'était étrange… il suffisait d'un moment tragique, d'une décision prise à la légère, et votre vie changeait pour toujours. Vous deveniez quelqu'un d'autre.

Mais ce soir, elle avait retrouvé, un court instant, la Grace d'autrefois. Ce soir, elle s'était rappelé l'effet produit par l'attraction qu'elle avait ressenti pour un homme. Elle avait *éprouvé* quelque chose au moment où elle s'était tenue devant la maison, avec Ethan.

Elle avala quelques gorgées de whisky et frémit en sentant le liquide lui enflammer la gorge. L'avertissement de Myra sembla résonner dans l'obscurité, comme pour la narguer.

Si tu éprouves la moindre émotion, tu es une femme morte.

4.

Ethan s'éveilla très tôt le lendemain matin. Les rayons déjà chauds du soleil levant pénétraient à flots par les hautes fenêtres de la chambre du troisième étage dans laquelle il avait dormi. Il s'était retourné dans son lit pendant des heures, ne sombrant dans un sommeil agité que pour rêver qu'il courait dans la jungle et tombait dans un gouffre. Comme dans la plupart des cauchemars, la chute s'interrompait brutalement avant qu'il ait touché le sol et il s'était éveillé plusieurs fois en sueur, le cœur battant.

Il s'assit sur le lit et regarda autour de lui, laissant les événements de la veille défiler lentement dans son esprit. Il avait vaguement espéré qu'au matin il aurait recouvré la mémoire. Mais ce n'était pas le cas. Il ne savait toujours pas qui était Ethan Hunter, ni ce qu'il avait bien pu faire pour que quelqu'un veuille le tuer. Tout ce dont il était sûr, c'était qu'il fallait donner le change et demeurer sur la défensive jusqu'à ce qu'il ait découvert le fin mot de l'histoire.

Le corps endolori, il sortit du lit et se dirigea vers la salle de bains. Comme la chambre, cette pièce était immense et luxueuse. Le sol était couvert d'une épaisse moquette verte et les murs décorés de mosaïques aux motifs compliqués. Il fallait gravir quelques marches pour pénétrer dans la baignoire en marbre ou dans la cabine de douche conçue pour deux personnes.

Ethan ouvrit le robinet de douche et observa son reflet dans le grand miroir. Les hématomes déformaient encore son visage, mais celui-ci avait désenflé et la douleur était moins insupportable. Il décida qu'il avait l'air presque humain ce matin, bien qu'il ne reconnût toujours pas ses traits.

Lorsqu'il eut enlevé ses vêtements, il examina la marque laissée sur le côté droit de son ventre par l'appendicectomie. La cicatrice, encore très sensible, était large d'au moins douze centimètres, ce qu'il trouva étonnant. Il la contempla un moment, essayant de se rappeler à quel moment on avait dû l'opérer. Mais rien ne lui revint à la mémoire. Rien, à part le vague souvenir d'avoir été poursuivi dans la jungle, le bruit d'un coup de feu… et le sentiment dérangeant que le Dr Ethan Hunter n'était pas le genre d'homme qu'il avait envie de connaître.

Ignorant ses blessures encore douloureuses, il se mit sous le puissant jet d'eau chaude et se lava rapidement tout en essayant de chasser les interrogations incessantes qui tourbillonnaient dans sa tête. Il devait se concentrer sur le quotidien. Prendre sa douche. S'habiller. Trouver quelque chose à manger.

Revenu dans la chambre, il examina le contenu du vaste dressing. Les costumes de prix et les chemises coupées sur mesure lui parurent aussi inconnus que le visage qu'il avait observé dans le miroir de la salle de bains.

Finalement, il choisit au hasard des vêtements simples. Un pantalon gris anthracite et un pull en coton. Le pantalon était un peu large à la taille et il se dit qu'il avait dû perdre du poids à cause de l'opération. Le pull lui allait très bien, mais les chaussures qu'il avait choisies lui parurent étroites. Il les ôta, se pencha pour en prendre une autre paire, mais se figea en entendant du bruit. Quelque part au rez-de-chaussée, une porte s'ouvrit puis se referma.

C'était peut-être Rosa qui revenait ? Mais elle avait dit hier soir qu'elle ne travaillait pas aujourd'hui et comptait passer la journée avec sa fille.

Qui se trouvait en bas ?

Ethan balaya la chambre du regard, cherchant une arme éventuelle. Ses yeux se posèrent sur la table de chevet et il traversa la pièce pour aller fouiller les tiroirs. S'il possédait une arme, il serait logique qu'il la cache à cet endroit-là. Mais la table ne contenait rien.

Ethan ôta l'abat-jour d'une lampe de chevet, la débrancha et saisit le lourd pied de bronze. C'était une arme plutôt encombrante, mais il n'avait pas le temps de chercher autre chose. La personne qui venait de s'introduire dans la maison était sans doute en train de monter l'escalier afin de le surprendre.

Le cœur battant, les sens en alerte, Ethan se dirigea vers l'escalier. Parvenu dans le couloir, il fit une pause et se pencha par-dessus la rampe pour observer le salon. Rien ne bougea au-dessous de lui. Aucun son ne lui parvint.

Il descendit silencieusement l'escalier, son regard fouillant chaque recoin de la pièce. Il y avait de nombreuses cachettes possibles dans cette jungle artificielle, mais Ethan songea que l'inconnu avait dû se glisser dans le bureau. La porte était entrouverte, or il était presque certain de l'avoir fermée la veille, avant d'aller se coucher.

Il traversa le salon et se plaqua contre la cloison près du bureau, l'oreille aux aguets. Il y eut une sorte de bruissement, comme si quelqu'un fouillait dans les papiers.

Les nerfs tendus à craquer, Ethan jeta un coup d'œil à l'intérieur. Et se figea de stupeur.

Une femme se tenait devant un coffre ouvert et en retirait à la hâte des liasses de billets. Il la reconnut sur-le-champ. C'était la femme qu'il avait vue sur la photo, hier soir. Son épouse.

Elle ne prit pas tout de suite conscience de sa présence et Ethan put l'observer à son aise pendant plusieurs secondes. Son tailleur rouge était si court et si serré, qu'elle ne pouvait dissimuler une arme sous ses vêtements. Mais Ethan était certain que même désarmée, elle devait être extrêmement dangereuse. La haine d'une femme délaissée pouvait être mortelle.

Il déposa la lampe de bronze sur le sol et pénétra dans la pièce. Pilar se tourna vivement vers la porte et posa une main sur son cœur en le voyant. Elle battit plusieurs fois des paupières et parvint enfin à surmonter le choc.

— Ethan ! s'exclama-t-elle d'une voix légère et mélodieuse, teintée d'un léger accent espagnol. Je ne savais pas que tu étais rentré.

— Je m'en doute, répondit-il en désignant du regard les liasses de billets.

Elle ne fit pas mine de refermer le coffre, ni de cacher l'argent qu'elle avait entassé sur le bureau. Tout au contraire, elle prit une des liasses et la secoua devant elle.

— J'ai appris que tu étais à l'hôpital.

En prononçant ces mots, elle releva la tête et croisa le regard d'Ethan pour la première fois. Une lueur passa dans ses yeux, une expression qu'Ethan n'aurait su définir.

— Tu as une tête épouvantable, dit-elle.

— Merci.

Il l'observa à son tour, prenant le temps de détailler les traits de son visage, et parvint à la conclusion que la photo de son bureau, si spectaculaire qu'elle fût, ne lui rendait pas justice. Elle était encore plus belle. Le profond décolleté de sa veste révélait la naissance de ses seins ronds et épanouis, tandis que sa jupe excessivement courte mettait en valeur des jambes de rêve.

Mais sa grâce et sa beauté sensuelle furent aussitôt éclipsées dans l'esprit d'Ethan par le fait qu'elle était visiblement en train de piller son coffre. Comme si elle lisait dans ses pensées, elle jeta un coup d'œil aux liasses de billets et haussa les épaules.

— Tu me dois bien ça, non ?

Il ne protesta pas. Elle lui lança un regard étrange et se retourna vers le coffre en rejetant en arrière ses cheveux d'un noir de jais, qui retombaient en cascade jusqu'à sa taille.

— Que fais-tu ici, au fait ? demanda-t-elle en continuant de fouiller dans le coffre. Bob m'a dit que tu t'étais fait violemment tabasser. Il pensait que tu serais obligé de rester à l'hôpital encore plusieurs jours.

Elle retira une autre liasse des étagères et le considéra avec un soupçon de défi dans ses yeux noirs.

— Quel Bob ? s'enquit Ethan sans réfléchir.

Elle haussa un sourcil à la ligne parfaite.

— Bob Kendall. Ton ex-associé. De qui d'autre pourrait-il s'agir ?

Ethan fut aussitôt sur le qui-vive. Kendall était donc son ancien associé ? A en juger par le regard hostile dont il l'avait gratifié la veille, leur association s'était mal terminée. Qu'est-ce qui était donc allé de travers, dans sa vie professionnelle et dans son mariage ?

Il contempla son épouse en essayant de retrouver un souvenir, une émotion. Mais rien ne se produisit. Il n'éprouva qu'une sorte de malaise.

— Quand as-tu parlé à Bob ?

Il vit luire un éclair de culpabilité dans les yeux noirs de la jeune femme. Elle se mit à fourrer les liasses de billets dans un sac à dos en cuir.

— Il m'a appelée hier soir. Il se trouvait à l'hôpital quand on t'a amené et il a pensé qu'il fallait me mettre au courant.

Ethan songea à ce que Rosa lui avait dit. Pilar avait appelé parce que Kendall l'avait avertie qu'Ethan allait rentrer. Pourquoi ? Le dressing de la chambre ne contenait aucun vêtement appartenant à la jeune femme. Il n'y avait ni produits de toilette ni de maquillage dans la salle de bains. De toute évidence elle ne vivait plus ici. Alors, pourquoi avait-elle appelé Rosa pour savoir s'il était arrivé ?

Et pourquoi avoir attendu qu'il soit là pour venir vider le coffre ?

Pilar et Kendall avaient-ils quelque chose à voir dans l'agression dont il avait été victime la veille ? Avaient-ils fait en sorte qu'il passe à la clinique avant de rentrer chez lui ? Avaient-ils eu l'intention de le tuer ?

Ethan examina son épouse et se rendit compte que cette hypothèse n'avait rien d'absurde. Pilar Hunter était visiblement le genre de femme prête à tout pour obtenir ce qu'elle voulait.

Pourtant, s'il avait épousé cette femme, il avait dû l'aimer autrefois. Mais alors, pourquoi ne ressentait-il absolument plus rien pour elle à présent ? Pourquoi n'éprouvait-il même pas de la colère ?

Après avoir ramassé toutes les liasses, elle referma son sac et le hissa sur son épaule. Contournant le bureau, elle fit quelques pas vers Ethan puis s'immobilisa.

— Bob m'a mise au courant, pour Amy. Je suppose que je devrais dire que je suis désolée.

Ethan garda le silence.

Pour la première fois, il sentit la jeune femme un peu hésitante, comme si elle ne savait pas s'il fallait ajouter quelque chose ou en rester là. Tout à coup, elle sourit.

— Je n'ai jamais cru que tu l'aimais, tu sais. En tout cas, tu n'as pas pu l'aimer autant que tu m'as aimée, moi.

Elle leva les yeux vers lui, posa une main sur son visage.

Ethan fut tenté de reculer. Mais il s'obligea à demeurer immobile tandis qu'elle posait la paume de sa main froide sur son visage meurtri. Pendant un très long moment, il contempla ses traits parfaits. Elle était d'une beauté stupéfiante. Pourquoi diable le laissait-elle aussi indifférent ?

Elle dut deviner ce qu'il pensait, car un éclair de fureur traversa son beau visage.

— *Cabron,* marmonna-t-elle en tournant brusquement les talons.

Parvenue au seuil du salon, elle jeta un bref coup d'œil par-dessus son épaule.

— Tu as vraiment une allure épouvantable, tu sais. Pas seulement à cause de tes blessures. Tu as maigri. Tes yeux…

Elle ne termina pas sa phrase et se contenta de l'observer attentivement.

— Qu'est-ce qu'ils ont mes yeux ? demanda-t-il avec brusquerie.

— Ils sont froids. Encore plus froids que dans mon souvenir, ajouta-t-elle avec un frémissement. Tu n'es plus l'homme que j'ai épousé, Ethan. Cet homme-là a disparu il y a longtemps.

Quand Grace arriva un peu plus tard, elle fut stupéfaite de voir à quel point l'état d'Ethan s'était amélioré. Les hématomes n'avaient pas disparu, mais en revanche son visage avait désenflé, de telle sorte que ses traits n'étaient plus déformés. Elle avait donc une meilleure idée de ce qu'était son physique en temps normal. Lorsqu'il lui ouvrit la porte, elle eut un petit mouvement de surprise.

— J'espère… que je ne vous ai pas obligé à vous lever, dit-elle en le dévisageant.

Il était habillé, mais ses cheveux étaient emmêlés et il ne portait pas de chaussures. Son allure était si décontractée, qu'elle se sentit un peu mal à l'aise dans son tailleur-pantalon beige et son chemisier de soie.

— Il y a un moment que je suis debout, répliqua-t-il d'une voix encore rauque.

Il s'effaça pour la laisser entrer et elle attendit dans le hall qu'il ait refermé la porte et rebranché l'alarme.

— Vous avez recouvré la mémoire ? demanda-t-elle avec anxiété.

Ethan l'enveloppa d'un regard sombre et lança :

— Vous ne perdez pas de temps, n'est-ce pas ?

— Pourquoi en perdrais-je ? dit-elle en haussant les épaules. Quelqu'un a tué ma sœur hier soir et il va sans doute venir achever son travail. Nous n'avons pas le temps de faire des manières.

— Je comprends votre point de vue, dit-il sèchement. La réponse est non. Je ne me souviens toujours de rien.

— Rien du tout ?

— Rien qui ait un sens.

Grace l'observa en essayant de déchiffrer son expression.

— Si ça peut vous consoler, vous semblez aller bien mieux ce matin. Vous semblez un homme différent.

— On me l'a déjà dit, rétorqua-t-il en lui tournant le dos pour monter l'escalier.

— Qui ? demanda vivement Grace. Quelqu'un est passé vous voir ce matin ?

Ethan s'immobilisa sur la première marche et regarda la jeune femme par-dessus son épaule.

— Ma femme. Je l'ai surprise en train de retirer l'argent qui se trouvait dans le coffre du bureau.

Grace fronça les sourcils.

— Vous l'avez *surprise ?* Que voulez-vous dire ?

— Juste ça. Apparemment, elle ne vit plus ici. Mais elle a dû décider de revenir prendre les liquidités que j'avais laissées traîner chez moi.

Il fallut quelques secondes à Grace pour absorber la nouvelle. Donc, Ethan s'était trouvé nez à nez avec Pilar Hunter. Comment s'était passée l'entrevue ? Qu'avait-il ressenti ? D'après les photos qu'elle avait vues, Pilar était d'une exceptionnelle beauté.

Elle lissa distraitement son pantalon du bout des doigts, comme pour y effacer des plis.

— Qu'est-ce que ça vous a fait de la voir ? demanda-t-elle avec une fausse désinvolture. Vous a-t-elle appris quelque chose sur votre relation ? Sur ce qui s'est passé entre vous ?

Ethan marqua une pause, puis déclara :

— Je n'ai aucune idée de ce qui s'est passé, mais je vais vous dire une chose. Je crois cette femme parfaitement capable de jeter de l'acide sur ma voiture. Et même de m'en jeter au visage, à vrai dire.

Grace fut un instant déconcertée par la brusquerie de son ton et de ses paroles.

— Pensez-vous qu'elle puisse être mêlée à la mort d'Amy ?

— Je n'exclus pas cette possibilité, dit-il, l'air sombre. Suivez-moi, ajouta-t-il en gravissant les marches. Nous parlerons de ça plus tard. J'ai réussi à localiser la cuisine et je suis en train de préparer mon petit déjeuner.

Grace traversa le salon à sa suite. Le perroquet, occupé à lisser son plumage, poussa un cri strident en la voyant.

Ils traversèrent une spacieuse salle à manger, avant d'entrer dans la cuisine. Celle-ci était luxueuse, avec ses éléments en inox, son sol en céramique et ses immenses baies vitrées offrant une vue agréable sur une piscine et une cascade artificielle.

Ethan retira du feu une poêle contenant des œufs au bacon et prit une assiette sur laquelle étaient empilés des toasts beurrés.

— Vous avez mangé ? Il y en a largement pour deux.

Grace considéra le plat avec regret. Elle avait commencé la journée avec son repas habituel, qui consistait en une tasse de café et un demi-pamplemousse. Si elle mangeait des œufs au bacon, il faudrait qu'elle fasse une demi-heure d'exercices supplémentaires au gymnase et qu'elle ajoute deux ou trois kilomètres à son jogging quotidien. L'espace d'un instant, elle se dit que ça valait peut-être le coup. Il y avait des années qu'elle n'avait pas mangé une tranche de bacon.

C'était une question de volonté, se dit-elle. Il fallait qu'elle reste en forme, physiquement et mentalement.

— Je prendrai juste un verre de jus d'orange.

Ethan leur servit un verre chacun et alla poser son assiette sur la table. Grace le suivit. Il s'assit face à la baie vitrée et elle s'installa en face de lui, gardant ainsi un œil sur la porte de la cuisine. Elle posa son sac sur ses genoux.

Pendant quelques instants, aucun d'eux ne parla. Ethan mangea avec un appétit vorace, comme s'il n'avait pas fait de vrai repas depuis des jours. Grace fit son possible pour ne pas le regarder avec insistance, mais son aspect avait changé d'une façon si spectaculaire depuis la veille, qu'elle ne pouvait s'empêcher de contempler ses traits en détail.

Il finit par s'apercevoir qu'elle le regardait et elle expliqua :

— Je suis stupéfaite par le changement qui s'est produit dans votre apparence. C'est extraordinaire.

Il haussa les épaules et répondit :

— J'étais dans un état tellement horrible hier, que cela ne pouvait que s'améliorer.

— Ce n'est pas ça... Vous devez avoir des capacités de guérison hors du commun.

— Peut-être.

Le regard d'Ethan se rembrunit et elle eut l'impression qu'une pensée désagréable venait de lui traverser l'esprit. S'était-il rappelé quelque chose ? Elle se demanda quel genre d'homme il avait été avant toute cette affaire. Le genre auprès duquel elle aurait aimé s'attarder quelque temps ? Si tout ce qu'Amy avait raconté était vrai, c'était peu probable.

— Avez-vous pu dormir ? s'enquit-elle.

— Un peu, dit-il en grimaçant. Je ne suis pas habitué à cette maison. Je ne m'y sens pas chez moi, mais ce n'est sans doute pas étonnant, étant donné les circonstances.

Grace acquiesça d'un signe de tête.

— Cela prendra du temps. Vous avez fait le tour du propriétaire, ce matin ?

— J'ai tout exploré, de la cave au grenier. Pas le moindre souvenir. Mais au moins, j'ai trouvé la cuisine. Et un gymnase au sous-sol. J'ai l'intention d'aller m'entraîner dès que possible. Il faut que je reprenne des forces.

Le regard de Grace se posa sur son torse puissant et sur ses larges épaules. Les muscles de ses bras étaient saillants sous les manches courtes de sa chemise. Elle songea à la force qu'elle avait sentie dans ces bras la veille lorsqu'il l'avait agrippée, au contact dur de sa poitrine quand il l'avait tenue contre lui.

— Ne vous précipitez pas. Amy m'a dit que vous aviez été opéré récemment. Une appendicectomie, je crois.

— C'est aussi ce qu'on m'a dit, mais je n'ai aucun souvenir de cette opération. Toutefois, j'ai bien une cicatrice au côté droit.

Son visage se rembrunit une nouvelle fois, comme s'il venait soudain de penser à quelque chose dont il n'avait pas l'intention de lui faire part. Grace se demanda ce qu'il lui cachait.

— Parlez-moi de votre rencontre avec Pilar.

Son expression changea, mais demeura toujours aussi sombre.

— Il n'y a pas grand-chose à dire. Je l'ai trouvée dans le bureau, en train de prendre de l'argent dans le coffre.

— Vous a-t-elle donné une explication ?

Ethan repoussa son assiette, comme s'il n'avait tout à coup plus d'appétit.

— Elle semblait penser que je lui devais quelque chose, dit-il en regardant sa compagne.

— A cause d'Amy ?

Il haussa les épaules sans répondre.

— J'ai vu des photos de Pilar, dit Grace. C'est une très belle femme, ajouta-t-elle après une courte pause.

— C'est certain.

— Avez-vous… *ressenti* quelque chose en la voyant ?

— Vous voulez dire… une attirance ?

— J'essaye seulement de comprendre quel genre de relation vous avez avec elle, rétorqua Grace, sur la défensive.

— De toute évidence, nous sommes séparés. Elle n'est pas restée assez longtemps pour que je puisse deviner quoi que ce soit, mais elle a fait allusion à Amy. Elle savait qu'on lui avait tiré dessus.

— Et qu'a-t-elle dit ? s'enquit Grace, étonnée.

— Comment dire ? Je ne crois pas que la mort d'Amy lui ait causé un grand choc.

Quelque chose ressemblant à de la compassion passa sur son visage et Grace baissa les yeux. Le fait d'être obligée de jouer la comédie ne lui rendait pas pour autant la chose plus facile.

— Comment a-t-elle appris la mort de ma sœur ?

— Vous rappelez-vous que Rosa nous a parlé d'un dénommé Kendall ? Elle a dit que Pilar avait téléphoné parce que le Dr Kendall l'avait prévenue que je devais arriver hier soir. Kendall se trouvait à l'hôpital quand on m'a amené. Il était dans ma chambre quand je suis revenu à moi. Naturellement, il a appelé Pilar pour lui dire ce qui s'était passé. Cela me paraît logique.

Grace réfléchit un moment et demanda :

— Que savez-vous sur cet homme ?

— Seulement que nous avons été associés.

La jeune femme reprit sa respiration avant de poursuivre :

— Croyez-vous qu'il y ait quelque chose entre Pilar et le Dr Kendall ?

Ethan ne cilla pas.

— Je me suis posé la question, dit-il avec indifférence. Je me suis également demandé pourquoi Pilar avait attendu que je sois de retour pour venir ici prendre l'argent du coffre. D'après ce que m'a dit l'inspecteur de police hier soir, j'ai passé plusieurs semaines au Mexique. Elle aurait pu venir prendre cet argent à n'importe quel moment. Pourquoi avoir attendu jusqu'à maintenant ?

— Où voulez-vous en venir ? s'enquit Grace en fronçant les sourcils.

— Réfléchissez une minute. Quelles raisons avait-elle d'attendre jusqu'à aujourd'hui pour prendre l'argent ?

— Elle n'en avait peut-être pas besoin jusqu'ici.

— Exactement, répliqua Ethan. Car pendant tout ce temps, elle pensait qu'elle allait en obtenir beaucoup plus.

Son regard balaya le jardin à l'arrière de la maison. Grace ne se retourna pas, mais elle entendit le bruit cristallin de la cascade se déversant dans la piscine. Ethan pensait-il à la jungle ?

— Après le départ de Pilar ce matin, j'ai fouillé dans le coffre moi aussi, dit-il au bout d'un moment. J'ai trouvé un contrat d'assurance sur la vie dont elle est seule bénéficiaire. Si je venais à disparaître, ma femme toucherait cinq millions de dollars. Je suis prêt à parier que ça représente beaucoup plus que la somme qui se trouvait dans le coffre.

— Que voulez-vous dire exactement, Ethan ? Que Pilar a essayé de vous faire tuer hier soir ?

Ethan riva son regard sur celui de sa compagne.

— Je ne vois pas pourquoi ça vous surprend. Vous ne croyez pas qu'une femme soit capable de commettre un meurtre ?

Grace songea au meurtrier qu'elle voulait traîner en justice. Elle sentit sur ses genoux le poids de l'arme qu'elle portait dans son sac.

— Oui, dit-elle d'un ton sec. Je sais que certaines femmes sont capables de tuer. Et même qu'elles y prennent du plaisir. Mais d'après ce que m'a dit Amy, je ne pense pas que ce soit Pilar qui ait essayé de vous tuer. Du moins, ce n'est pas elle qui a commandité le meurtre.

Cette dernière nuance n'échappa pas à Ethan.

— D'après vous, j'ai fait quelque chose qui a provoqué l'enchaînement des événements qui ont mené à l'agression d'hier et au meurtre d'Amy. Vous pensez que quelqu'un veut me tuer à cause de quelque chose que j'aurais fait au Mexique. Quelque chose d'illégal...

Malgré sa voix dure, Grace saisit une angoisse sous-jacente dans ses paroles. Il y avait du désespoir dans la façon dont il s'exprimait. Elle haussa les épaules.

— Je me fie simplement aux lettres d'Amy...

— Les lettres d'Amy ! s'exclama-t-il en repoussant brusquement sa chaise et en se levant.

Il alla se camper devant la fenêtre et contempla le jardin inondé de soleil.

— Je sais que c'était votre sœur et je suis désolé qu'elle soit morte. Mais je ne me souviens pas d'elle et à en croire ce que vous m'avez raconté hier soir, vous ne la connaissiez pas très bien non plus. Elle ne vous a peut-être raconté que des mensonges à mon sujet ! Et si c'était elle qui avait voulu me piéger ?

Grace se tourna et le regarda avec stupeur.

— Vous ne pensez pas vraiment ce que vous dites ?

— Pourquoi, c'est si difficile à croire ? rétorqua-t-il, les mâchoires serrées. Pourquoi est-ce si facile pour vous alors, de croire que j'ai été impliqué dans un trafic qui a conduit à la mort de votre sœur ? Vous ne me connaissez pourtant pas. Que savez-vous sur moi en réalité ?

Avant que Grace ait pu répondre il revint se planter devant la table et la toisa avec colère. Elle frissonna.

— Et, reprit-il lentement, je m'aperçois que je ne sais rien de vous non plus.

Grace sentit un léger accès de panique la traverser. Elle se leva afin de ne pas laisser l'avantage à Ethan, soutint son regard et redressa les épaules. Il fallait qu'elle regagne le contrôle de la situation.

— Mais si, vous connaissez des choses sur moi.

— Je sais quoi ? répliqua-t-il en étrécissant les yeux. Votre nom ? Que vous êtes la sœur d'Amy ? Ce que je sais, c'est *vous* qui me l'avez dit.

Grace s'humecta les lèvres.

— Qu'insinuez-vous ?

— Que j'ai peut-être été trop confiant. J'aurais dû vous poser plus de questions hier soir.

— Posez-les maintenant, dit Grace froidement. Je vous dirai tout ce que vous voudrez savoir.

Un silence les enveloppa et sembla s'éterniser. Quand Ethan reprit la parole, sa voix était presque trop calme.

— Pour qui travaillez-vous ?

Le cœur de Grace se mit à cogner à grands coups. Elle tritura du bout des doigts le fermoir doré de son sac.

— Vous voulez savoir *où* je travaille ? Dans un cabinet d'avocats.

— Vous êtes avocate ?

— Non, dit-elle en secouant la tête. J'ai étudié le droit, mais je n'ai pas passé les examens du barreau. Je suis plutôt dans le domaine de la recherche.

— Cela signifie ?

— Que je passe une grande partie de mon temps devant un ordinateur, à faire des recherches pour des juristes dans les textes de loi. Rien d'exaltant, à vrai dire.

Ethan marqua une pause avant de déclarer d'un ton accusateur :

— Vous n'avez pas d'accent. Il y a longtemps que vous vivez à Houston ?

Elle répondit sans l'ombre d'une hésitation :

— Non, pas très longtemps. Je viens de Washington.

— Que faisiez-vous là-bas ?

— La même chose qu'ici.

— Pourquoi avez-vous choisi de venir à Houston ?

— Pour me rapprocher de ma sœur.

C'était le premier vrai mensonge qu'elle lui faisait depuis ce matin. Mais elle savait qu'il y en aurait beaucoup d'autres. Elle dirait et ferait tout ce qu'il fallait pour gagner sa confiance. Elle avait été entraînée pour cela et c'était ainsi qu'elle vivait. Elle ne pouvait pas se permettre d'avoir des problèmes de conscience maintenant, uniquement parce que cet homme au visage contusionné et au passé flou éveillait en elle des sentiments qu'elle croyait évanouis à jamais.

— Et votre famille ? demanda-t-il. Où se trouve-t-elle ?

— Mes parents sont morts il y a des années.

Un souvenir maintenant ancien resurgit sans prévenir. Grace pensait pourtant l'avoir enterré profondément avec toutes ses émotions d'autrefois, dans un endroit sûr et impénétrable de sa mémoire. Mais tout à coup il lui revint et ce fut une véritable explosion dans sa tête, un bouleversement aussi intense que l'explosion qui avait réellement eu lieu ce soir-là.

En une fraction de seconde elle se revit adolescente, dévalant la rue tandis que les sirènes de police venaient à sa rencontre. Elle revit les flammes rouge orangé léchant les murs de la maison et s'élevant dans le ciel sombre. Elle entendit les hurlements de ceux qui étaient restés prisonniers de la petite maison blanche. Son père, sa mère. Et à une fenêtre du premier étage, martelant les carreaux de ses poings, la chevelure en feu, il y avait la sœur de Grace. Sa sœur si belle, si belle…

— Tout le monde est parti, murmura-t-elle, les yeux dans le vide.

Ethan lui toucha la main et elle sursauta, oubliant pendant un instant où elle était. Qui elle était censée être. Elle leva les yeux vers lui, ravalant le cri de terreur qu'elle avait failli laisser échapper. Repoussant désespérément les souvenirs horribles qui avaient fait d'elle ce qu'elle était aujourd'hui.

— Je suis désolé, dit-il.

Son regard, un moment auparavant froid et suspicieux, n'exprimait plus que la culpabilité. Grace se sentit mal à l'aise en songeant à ce qu'elle savait.

« Il n'est pas innocent, se dit-elle en son for intérieur. Ne te laisse pas avoir. »

Elle ouvrit son sac, en sortit son portefeuille pour lui montrer son permis de conduire, sa carte de sécurité sociale et une carte professionnelle sur laquelle figuraient le nom et l'adresse d'un cabinet d'avocats de la ville. La carte avait été imprimée pendant la nuit. C'était le Bureau de Houston qui leur avait fourni l'adresse et le numéro de téléphone du cabinet.

— Vous pouvez les appeler si vous voulez, dit-elle en tendant la carte à Ethan.

Son appel serait transmis soit à Myra, soit à un autre agent qui confirmerait l'histoire de Grace. Si par hasard Ethan se rendait en personne au cabinet d'avocats, la réceptionniste le dirigerait vers l'un des associés qui avait été mis au courant de l'affaire et saurait répondre à ses questions.

— Je m'appelle bien Grace Donovan, reprit-elle et je cherche l'assassin de ma sœur.

Il hocha la tête, comme s'il avait vu quelque chose dans ses yeux qui l'avait convaincu qu'elle disait la vérité. Puis il se rassit devant la table, l'air aussi accablé que si toutes ses forces l'avaient soudain abandonné.

— Avez-vous apporté les lettres d'Amy, aujourd'hui ?

Grace alla s'asseoir à côté de lui. Elle perçut le léger parfum de savon et de shampooing qui émanait de son corps et se demanda s'il avait passé comme elle un long laps de temps sous la douche ce matin, essayant vainement de chasser le passé qui lui collait à la peau.

— Non, mais j'ai apporté ceci.

Elle prit un article de journal dans son sac, le déplia et le posa devant lui. L'article était accompagné de la photo d'un homme blond, d'une trentaine d'années.

Grace observa la photo un long moment, puis se détourna en frémissant.

— J'ai trouvé cette coupure de journal dans l'appartement d'Amy, un jour. Quand je l'ai questionnée, elle a prétendu ne rien savoir à ce sujet, mais j'ai vu qu'elle était perturbée. Effrayée, en fait. Elle n'a pas voulu me dire pour quelle raison elle avait découpé cet article dans le journal.

Ethan prit le papier et parcourut l'article.

— Trevor Reardon, lut-il à haute voix. Ils disent que c'est un des dix hommes les plus activement recherchés par le FBI.

Grace acquiesça d'un hochement de tête.

— Il a été déclaré coupable de trois meurtres au premier degré et condamné à perpétuité sans possibilité de libération anticipée. Il s'est évadé il y a plusieurs mois et on n'a toujours pas retrouvé sa trace.

— Eh bien ? Qu'est-ce que cela a à voir avec moi ? s'enquit Ethan.

— Vous ne le reconnaissez pas ? Regardez mieux.

Tandis qu'il étudiait la photo de Trevor Reardon, Grace l'observa attentivement, guettant un signe quelconque sur son visage indiquant qu'il se souvenait.

Au bout de quelques secondes, il lui tendit l'article.

— Je ne reconnais pas cet homme. Je devrais ?

— Vous en êtes bien sûr ? dit-elle avec insistance.

— Pour autant que je sache, je ne l'ai jamais vu de ma vie. L'impatience perçait dans sa voix.

— Et je n'aime pas trop ce que vous insinuez, ajouta-t-il.

— Je n'insinue rien.

— Mon œil ! Mais quel rapport voulez-vous qu'il y ait entre ce meurtrier et moi ? Pour qui me prenez-vous ?

— Je ne sais pas…, dit-elle doucement. Nous essayons justement de savoir quel homme vous êtes en réalité, non ?

Elle le considéra d'un air de défi. Il soutint longuement son regard, puis se détourna. Il contempla le plafond en passant les mains dans ses cheveux et demanda :

— Et d'après vous, pourquoi devrais-je connaître ce Trevor Reardon ?

Grace laissa s'écouler quelques secondes avant de répondre :

— Je pense que vous lui avez peut-être fabriqué un nouveau visage.

5.

Ethan la regarda comme si elle avait perdu la tête. Puis, quand il eut pleinement absorbé le sens de ses paroles, il s'exclama, horrifié :

— Pourquoi aurais-je fait une chose pareille ?

Il était médecin, bon sang ! Et d'après ce qu'il avait vu dans son bureau, il se consacrait à des actions humanitaires. Pourquoi aurait-il décidé d'offrir à un criminel un nouveau visage ? La possibilité d'une nouvelle vie ?

Une expression qui ressemblait presque à de la compassion passa dans les yeux de Grace sans qu'elle pût la dissimuler. En un clin d'œil toutefois, son masque d'indifférence avait repris sa place. Elle considéra Ethan avec froideur.

— Il est possible qu'on vous y ait obligé.

— Mais ce n'est pas ce que vous croyez, n'est-ce pas ?

Elle hésita, posa les yeux sur la photo de Reardon, puis soutint de nouveau le regard d'Ethan. Toute trace de douceur ou de sympathie s'était à présent évanouie.

— Non, reconnut-elle. Je pense que vous avez fait cela pour de l'argent.

— Mais pourquoi ? protesta Ethan. Regardez cette maison. Ces vêtements. De toute évidence, j'ai déjà de l'argent !

Comme Grace gardait le silence, il lui prit la main, se leva et l'obligea à en faire autant.

— Venez avec moi.

— Où ça ? demanda-t-elle, l'air paniqué.

Elle agrippa son sac et passa la bandoulière sur son épaule. Sans ajouter un seul mot, Ethan l'entraîna hors de la cuisine, lui fit traverser la salle à manger puis le salon, avant de pénétrer dans le bureau. Le perroquet poussa un petit cri strident quand ils passèrent à sa hauteur, mais Ethan l'ignora.

Parvenu dans le bureau, il se plaça au centre de la pièce et désigna d'un large geste du bras les articles et les lettres accrochés aux murs.

— Regardez ça.

Il décrocha un des cadres et le tendit à Grace.

— Voici une lettre du président des Etats-Unis, me félicitant pour le travail que j'ai accompli au Mexique. Celle-ci m'a été adressée par un sénateur, celle-là par notre ambassadeur à Mexico.

Il continua ainsi, décrochant au fur et à mesure les cadres pour les empiler dans les bras de Grace. Celle-ci les déposa avec indifférence sur le bureau.

Ethan se rendait bien compte que ses gestes avaient quelque chose de frénétique, mais il ne pouvait s'empêcher de continuer. Il fallait absolument la convaincre et se convaincre, lui, que ces suppositions étaient ridicules.

— Pourquoi un homme qui a accompli tout ce travail pour des enfants déshérités, qui a reçu tant de récompenses, prendrait-il le risque de tout perdre en changeant le visage d'un criminel ?

— Parce qu'il faut de l'argent pour être philanthrope. En outre, vous avez des goûts de luxe, ajouta-t-elle en montrant le bureau d'un geste de la main. Vous ne pouvez pas acheter tout ça avec des lettres, fussent-elles d'un président. D'autre part, vous avez une couverture parfaite. Votre clinique du Mexique est isolée, pratiquement inaccessible, d'après ce que m'a dit Amy. Et c'est un établissement qui jouit d'un certain prestige moral.

— D'après vous, c'est là où j'opérerais des criminels en secret, rétorqua Ethan avec amertume. Je leur offre de nouveaux visages afin qu'ils puissent aller tranquillement de par le monde, pour violer, tuer et voler.

Grace évita son regard.

— Reardon a sans doute entendu parler de vous en prison. Quand il s'est évadé, il a réussi à passer la frontière et à localiser votre clinique dans la jungle. Je pense qu'il a dû vous offrir beaucoup d'argent, probablement des millions de dollars, pour que vous lui refassiez le visage.

Des millions ?

Ethan fronça les sourcils, incrédule.

— L'article dit qu'il est resté en prison pendant plus de six ans. Où aurait-il trouvé autant d'argent ?

— On estime qu'à l'époque de son arrestation, il avait amassé une fortune s'élevant à plus de trente millions de dollars. On n'a jamais retrouvé cet argent.

Ethan la considéra avec stupéfaction.

— Mais d'où sort-il, ce type ?

— C'est un ancien officier de marine, qui appartenait aux unités d'élite. Un expert en explosifs qui a vendu ses services aux plus offrants. Il est devenu mercenaire, assassin, terroriste à l'occasion. Peu importe le job à accomplir, tant qu'il obtient le prix qu'il réclame. Il aime tuer et sait s'y prendre. La première fois qu'il s'est évadé de prison, il a réussi à retrouver l'agent du FBI qui l'avait fait arrêter. Reardon a placé un système d'explosifs dans sa maison qui lui permettait de faire exploser les portes et les fenêtres de chaque pièce. L'agent est mort dans l'incendie, avec sa femme et sa fille.

Bien que l'expression de Grace demeurât froide, Ethan devina qu'elle n'était pas aussi calme qu'elle voulait le lui faire croire. Des petites flammes dansaient dans ses yeux tandis qu'elle parlait. Des flammes de colère. Songeait-elle à la mort de sa sœur ?

— Après cela, cet homme est resté en liberté pendant plusieurs années, dit-elle. C'est un maître dans l'art du déguisement et il aimait narguer la police. On pense même qu'il a pu quitter le pays pendant quelque temps. Et puis, il a commis une grave erreur. L'agent du FBI, dont je viens de vous parler, avait une autre fille, une adolescente, qui se trouvait à l'extérieur de la maison, le soir de l'incendie. Reardon est revenu pour la tuer.

— Pourquoi ? Quel mal pouvait-elle lui faire ?

— Pour commencer, elle pouvait l'identifier. Et puis, le travail n'était pas fini. D'après ce que je sais sur Reardon, il a horreur de laisser une tâche inachevée. C'est presque une obsession chez lui.

— Alors, que s'est-il passé ?

— L'ancienne partenaire au FBI de l'agent assassiné s'est fixé pour mission de traquer Reardon jusqu'à ce qu'il soit remis en prison. Elle savait qu'il finirait par revenir pour tuer la fille de son collègue. Et quand il est revenu, elle lui a tendu un piège.

— Vous voulez dire qu'elle a utilisé la fille, comme un appât ? demanda Ethan avec une moue déconcertée.

Grace haussa les épaules.

— On peut voir les choses comme ça. Mais elle a aussi sauvé la vie de cette jeune fille.

Ethan l'observa. Elle était parfaitement maîtresse d'elle-même ce matin. Sa voix était calme, son expression déterminée. Exactement comme il l'avait perçue hier soir.

Mais il y avait quelques petites choses qu'il n'avait pas vues hier. La façon dont le bleu de ses yeux s'éclaircissait ou s'intensifiait, au gré de ses émotions. La couleur de son brillant à lèvres qui lui faisait penser à des fraises mûres. La fragrance de son parfum, si subtile qu'on le devinait à peine. Ou encore sa veste à la coupe discrète qui laissait tout juste soupçonner les courbes féminines sous le tissu souple. Ethan n'avait pas gardé le souvenir de tout cela… A moins qu'il n'ait essayé inconsciemment de l'oublier.

— Comment se fait-il que vous sachiez tant de choses sur Reardon ?

Ils levèrent tous deux la tête en même temps et leurs regards se rencontrèrent. Ethan ne put s'empêcher de contempler ses lèvres quand elle se remit à parler.

— Presque tout se trouve dans l'article que je vous ai montré. Mais après avoir trouvé cette coupure de presse chez Amy, j'ai fait quelques recherches. Je voulais savoir pourquoi la photo de cet homme l'effrayait autant.

— Vous pensez qu'Amy était au courant de ce qui se passait dans la clinique, au Mexique ?

— Elle avait des soupçons. C'est pourquoi elle avait si peur, je crois. Elle vous avait accompagné là-bas au moins une fois. Elle a même fait allusion à un patient au visage couvert de pansements. Elle ignorait qui il était, mais elle trouvait sa présence là-bas un peu étrange car la plupart de vos malades sont des enfants. Je pense qu'à son retour ici, elle a réfléchi et a commencé à comprendre ce qui se passait.

Ethan alla se camper devant le mur pour observer la photo qui le représentait en compagnie du Dr Salizar, devant la clinique. Si Grace disait la vérité, il n'y avait rien d'étonnant à ce que Salizar ait l'air terrorisé. Il se demanda si la clinique avait vraiment été détruite par des *banditos*. N'était-ce pas plutôt un de ses anciens patients qui avait voulu éliminer des témoins gênants ?

— Vous pensez que Reardon a tué Amy parce qu'elle était sur ses traces ? demanda-t-il en se retournant vers Grace.

— Non. La mort d'Amy n'était pas prévue. Sa cible c'est vous, car vous êtes peut-être la seule personne au monde à connaître le nouveau visage de Trevor Reardon.

Ethan eut l'impression que son sang se glaçait dans ses veines.

— Et maintenant, je ne peux plus l'identifier, car je ne me souviens plus de lui.

— C'est toute l'ironie de l'histoire. Cet homme pourrait être n'importe qui. Votre voisin. Le facteur. N'importe qui. Si Trevor Reardon a décidé de vous tuer, il n'y a qu'un moyen de vous sauver : le trouver avant qu'il vous trouve.

— Et donc, se servir de moi comme appât, dit Ethan en s'émerveillant du sang-froid de la jeune femme. Comme l'a fait l'agent du FBI avec la jeune fille.

Grace haussa les épaules.

— Pourquoi pas ? Pour lui, vous êtes un travail inachevé. Tôt ou tard il se mettra en chasse.

— Et quand il m'aura trouvé ?

— Il faudra que nous soyons prêts à le recevoir, rétorqua-t-elle avec un nouveau haussement d'épaules.

Ethan la regarda et secoua la tête.

— Vous ne vous êtes pas dit que vous et moi n'avions pas l'entraînement requis pour capturer un meurtrier ? Surtout quand ce meurtrier a appartenu aux unités d'élite de la marine et qu'il a un penchant pour les explosifs ?

L'espace d'un instant Ethan eut l'impression que ses mots la faisaient sourire.

— Pour l'amour du ciel ! reprit-il avec colère. Ceci n'est pas un jeu, Grace ! Je suis un chirurgien amnésique et vous, vous faites… quoi déjà ? Des recherches dans un cabinet d'avocats ? Comment diable pouvez-vous imaginer qu'à nous deux nous allons réussir à coincer ce type ?

— Vous avez une meilleure idée ? Vous n'envisagez quand même pas de demander de l'aide à la police ?

Ethan ferma brièvement les yeux en songeant à la jungle, à la peur qu'il avait éprouvée. Il avait la certitude que les hommes qui le poursuivaient *appartenaient* à la police. Les autorités mexicaines l'avaient-elles poursuivi ? Courait-il pour leur échapper ?

Si ce que Grace racontait était vrai, si Ethan avait vraiment aidé des criminels en leur fabriquant un nouveau visage, il risquait certainement une sévère peine de prison. Et si tout cela était vrai, il méritait de se retrouver en prison !

Mais le doute courait toujours dans son esprit. Il ne pouvait se défaire de l'idée que Grace Donovan ne lui avait pas tout dit. Et, tant qu'il ne connaîtrait pas le fin mot de l'histoire, il n'était pas question qu'il se livre à la justice.

— Je ne peux peut-être pas m'adresser à la police, dit-il. Mais je ne comprends toujours pas ce qui vous, vous empêche de le faire.

— Je croyais m'être clairement expliquée à ce sujet.

— Ça n'a pas de sens. Je ne voudrais pas vous paraître cruel, mais vous ne vengerez pas la mort de votre sœur en vous faisant tuer. Si je suis la cible de Trevor Reardon, je ne veux pas que vous restiez à mon côté.

— Ne soyez pas ridicule, répliqua Grace avec un froncement de sourcils. Vous ne vous en sortirez pas seul, vous avez besoin de moi. Je peux surveiller vos arrières, en fait nous pouvons nous aider mutuellement. Je ne peux pas abandonner. Reardon a tué ma sœur et je veux qu'il paie pour ça. Si vous refusez de m'aider, je le poursuivrai seule.

Elle en était capable, songea Ethan. La détermination se lisait dans son regard, dans la façon qu'elle avait de serrer les mâchoires. Elle poursuivrait Reardon seule. Et alors, Ethan aurait aussi sa mort sur la conscience.

A la pensée qu'elle courait le risque d'être blessée ou tuée, il éprouva un haut-le-cœur.

— Vous ne savez pas dans quoi vous vous embarquez, dit-il.

Elle leva crânement le menton.

— Je le sais très bien. Croyez-moi, je peux m'en sortir.

— Même contre un terroriste doublé d'un assassin ?

Son regard vacilla, mais elle se ressaisit aussitôt.

— C'est un homme. Il a forcément des faiblesses. Nous savons deux choses à son sujet. Il est dangereux et a un comportement compulsif. Il ne pourra pas résister au besoin de revenir pour finir son travail. La seule chose qu'il nous reste à faire, c'est de nous préparer.

A l'entendre, cela paraissait facile. Pourtant Ethan savait qu'elle n'était pas naïve. Elle croyait vraiment à ce qu'elle disait. Son assurance parvint presque à le convaincre. Presque…

— Par quoi commençons-nous ? s'enquit-il.

Un rayon de soleil joua dans ses cheveux auburn quand elle rejeta une mèche en arrière.

— Il me semble que la meilleure chose à faire est de vaquer à vos occupations habituelles. Reardon doit connaître votre routine.

— Vous ne suggérez tout de même pas que je reçoive des patients aujourd'hui ? rétorqua sèchement Ethan. Je ne suis pas en état de le faire. Et je pense qu'aucun n'apprécierait de me voir défiguré ainsi. Pour un chirurgien plasticien, cela n'est pas une bonne publicité, ironisa-t-il.

— Bien sûr que non. Mais vous pouvez passer un coup de fil à votre cabinet, ou même aller y faire un tour. Après, nous verrons.

— Avez-vous la clé de l'appartement d'Amy ? demanda-t-il brusquement.

— Non, pourquoi ?

— Vous avez déjà trouvé quelque chose là-bas. Nous y découvrirons peut-être d'autres indices.

— La police aura sans doute mis les scellés sur sa porte.

— C'est peu probable, dit Ethan en secouant la tête. D'après ce que l'inspecteur m'a dit hier soir, ils pensent plutôt que quelqu'un s'est introduit dans mon cabinet pour y voler de la drogue et qu'Amy a été tuée parce qu'elle l'a surpris. Ce matin, la police va ratisser le quartier pour essayer de trouver des témoins ou des preuves semées en route par le suspect. Ils ne fouilleront sans doute jamais l'appartement de votre sœur.

Grace réfléchit à cela un moment.

— Vous avez raison, finit-elle par admettre. Je n'ai pas la clé, mais je connais un moyen d'entrer chez elle.

Ethan la dévisagea avec admiration.

— Très bien. Attendez-moi ici pendant que je finis de m'habiller et nous y allons.

Ayant regagné la chambre, Ethan se précipita vers la table de chevet, ouvrit le premier tiroir et en retira l'unique liasse de billets que Pilar avait laissée dans le coffre. Puis il prit le revolver qu'il avait trouvé à côté des billets. L'arme, petite mais puissante, tenait presque entièrement au creux de sa main.

Il la soupesa et se sentit tout à coup submergé par une forte impression de déjà vu. Il avait éprouvé la même sensation au moment où ses doigts s'étaient refermés sur l'arme, dans le coffre. C'était le premier objet qui lui semblait familier depuis qu'il s'était éveillé à l'hôpital le soir précédent.

Il savait se servir d'une arme. Et plus précisément, il savait se servir de cette arme-là. Il savait que la ligne de mire était précise et que la course de la gâchette était courte. Il ne parvenait pas à se souvenir de sa propre mère, mais en revanche il savait comment démonter et remonter ce revolver en quelques secondes.

Il préféra ne pas trop penser à ce que cela signifiait. Il plaça une balle dans le chargeur, enclencha la sécurité et glissa l'arme dans sa ceinture, sur ses reins. Après quoi il prit plusieurs billets dans la liasse, les fourra dans sa poche et remit le reste dans le tiroir.

Les chaussures qu'il portait la veille étaient à côté du lit. Il les enfila machinalement, en songeant qu'elles étaient bien plus confortables que celles qu'il avait trouvées ce matin dans le dressing. Enfin, il prit une veste sur un cintre. Il allait faire chaud à l'extérieur, mais il fallait qu'il dissimule son arme. Inutile de révéler tous ses secrets à Grace. Du moins pour le moment.

Quand il redescendit l'escalier, il ne put s'empêcher de songer qu'il se sentait beaucoup plus à l'aise avec un peu d'argent dans la poche et une arme puissante à portée de main.

Bon sang ! Quelle sorte de médecin était-il donc ?

Ils prirent Gessner Road, en direction du sud de la ville. C'était une avenue très longue, dégagée à certains endroits, encombrée de centres commerciaux et d'immeubles d'habitations à d'autres. La partie située près de la maison d'Ethan était particulièrement belle, avec des trottoirs ombragés et des massifs fleuris.

Une des choses qui avaient le plus surpris Grace à son arrivée à Houston, c'était l'abondance des chênes et des pins. Elle s'était attendue à découvrir une vaste métropole, parsemée de puits de pétrole et d'affreuses raffineries, mais en fait la ville était très boisée. La plupart des maisons et des bâtiments de bureaux se cachaient derrière des rideaux de verdure.

Du coin de l'œil, elle vit qu'Ethan contemplait le paysage et lisait les panneaux de circulation dans l'espoir de se familiariser avec l'environnement. L'espace d'un instant elle essaya de se mettre à sa place, mais ne parvint pas à imaginer ce qu'il vivait. Ne pas avoir la moindre idée sur sa propre identité, n'avoir aucun souvenir sur lequel s'appuyer, mais soupçonner le pire après avoir entendu tout ce qu'elle lui avait dit ce matin…

Grace repoussa le sentiment de culpabilité qui l'assaillait. Chaque mensonge était nécessaire. Elle n'avait pas de temps à perdre pour regretter d'avoir fait l'inévitable.

Elle traversa Westheimer, une des artères principales de Houston, tourna dans Richmond et s'engagea dans une résidence nommée « Les Pins ».

L'ensemble d'immeubles ressemblait à tous ceux qu'ils avaient croisés en chemin. De petits bâtiments de deux étages, entourés de jardins impeccablement tenus.

Grace se gara devant le bureau des locations et se tourna vers Ethan. Malgré les arbres qui projetaient leur ombre sur le jardin, une chaleur intense envahit aussitôt la voiture. Grace baissa sa vitre, mais il n'y avait pas le moindre souffle d'air.

— Il vaut mieux que vous me laissiez entrer seule, dit-elle. Inutile d'éveiller les soupçons.

Elle vit à son expression qu'il comprenait ce qu'elle voulait dire. Son visage tuméfié risquait de surprendre. Il hocha la tête et elle sentit son regard peser sur elle tandis qu'elle traversait la pelouse et entrait dans le bureau.

Une vague d'air froid l'enveloppa dès qu'elle eut franchi le seuil. Grace ne s'était pas encore habituée au contraste incessant auquel soumettait la climatisation. On passait en moins d'une seconde de la fournaise à la fraîcheur. Malgré sa veste, elle frissonna.

Une femme aux cheveux blond pâle lisait un livre, assise derrière un vaste bureau. Elle ôta ses lunettes en voyant Grace entrer.

— Que puis-je pour vous ?

— Je m'appelle Grace Donovan, dit la jeune femme en avançant vers le bureau. Une de vos locataires était ma sœur.

Elle s'interrompit, regarda ses mains et ajouta au bout d'une seconde ou deux :

— Elle s'appelait Amy Cole. Elle vivait au 4C.

100

— Vous avez dit *vivait ?* interrogea la femme d'un ton anxieux.

Grace se mordit la lèvre et expliqua :

— Elle a été tuée hier soir.

La femme étouffa un cri et porta une main à ses lèvres maquillées de rose fuchsia.

— Je suis désolée. Co… comment est-ce arrivé ?

— Je ne peux pas… vous le raconter en détail, murmura Grace dans un souffle. C'est trop récent. Vous comprenez, n'est-ce pas ?

— Naturellement, répondit la femme, l'air un peu égaré. Y a-t-il quelque chose… que je puisse faire ?

— Eh bien… oui. Il faut que j'entre dans l'appartement de ma sœur.

La femme fronça légèrement les sourcils.

— Si vous êtes sa plus proche parente, Amy avait dû faire figurer votre nom sur le bail de location, je suppose ?

— Je n'en suis pas sûre, avoua Grace. Il n'y a que quelques semaines que je suis arrivée à Houston. Le problème c'est qu'il faut que je choisisse des vêtements pour… l'habiller.

La femme comprit immédiatement ce que Grace voulait dire et ses yeux s'imprégnèrent d'un profond sentiment de pitié. Elle ouvrit un tiroir et en tira une clé.

— Je ne peux pas vous la confier, c'est un passe. Il va falloir que je vous ouvre moi-même.

— Je comprends, dit Grace. Je vous remercie de votre aide.

La gérante se leva et se dirigea vers la porte du bureau.

— Je ne peux vous dire à quel point je suis désolée. Amy était une bonne locataire, elle payait régulièrement son loyer. Nous n'avons jamais eu d'ennui avec elle, à part cet incident, l'autre fois.

Grace se figea, la main sur la poignée de la porte.

— Quel incident ?

La femme se mordit la lèvre, hésitant à tout raconter à la sœur de la disparue.

— Il y avait un homme, je pense que c'était son petit ami. Je crois qu'il était… marié.

Elle leva les yeux vers Grace et, constatant que celle-ci ne paraissait pas choquée, poursuivit :

— Il était chez elle un soir, quand son épouse est arrivée. Je vis ici, vous comprenez, dans l'immeuble qui se trouve juste en face de celui d'Amy. Il y a eu un tel raffut que finalement, j'ai été obligée d'appeler la police.

— Que s'est-il passé au juste ?

Il y eut une pause. Le visage de la gérante se rembrunit.

— L'épouse avait une arme. Elle a tiré dans les pneus de la Porsche de son mari et puis elle a menacé de tirer sur Amy.

La gérante ouvrit la porte et s'effaça pour laisser entrer Grace.

— Je redescends au bureau, dit-elle. En partant, vous n'avez qu'à tirer la porte.

L'appartement d'Amy était décoré de tons pastel. Des couleurs qui rappelaient à Grace des après-midi de printemps parfumés par la senteur des fleurs à peine écloses. Une sensation de jeunesse, d'insouciance, qu'elle avait perdue brutalement par une froide soirée d'automne.

Les appartements qu'elle avait occupés depuis cette lointaine soirée au cours de laquelle sa famille était morte victime d'un assassin n'étaient que des endroits banals et anonymes où elle ne passait que pour dormir et parfois pour manger. Ce n'était jamais, à la différence de celui-ci, un foyer où l'on vivait.

Pour la première fois depuis qu'elle avait appris la fin tragique d'Amy, Grace ressentit le choc de cette mort. Elle ne la connaissait pas très bien. Elles ne s'étaient parlé que deux fois, dont une fois ici même. Mais Grace avait perçu chez Amy une solitude semblable à la sienne, qui avait touché en elle une corde sensible.

La porte s'ouvrit et Grace se retourna, surprise. Debout sur le seuil, Ethan la regardait. Il fit un pas, puis hésita.

— Je peux entrer ?

Elle acquiesça d'un signe de tête. Ethan s'avança au milieu de la pièce et regarda autour de lui.

— C'est joli, murmura-t-il.

— Vous reconnaissez ?

— Pourquoi ? s'enquit-il en levant vivement les yeux vers elle. Je suis déjà venu ?

Grace fut sur le point de lui rapporter l'histoire que lui avait racontée la gérante, mais elle y renonça. Il avait déjà encaissé suffisamment de chocs pour la journée.

— Je me disais que c'était possible, vu votre relation avec ma sœur.

Il se dirigea vers l'étagère en pin, y prit une photo et l'étudia avec attention. Grace connaissait ce tirage. Amy le lui avait montré la première fois qu'elles étaient venues ici pour parler d'Ethan. Elle représentait Amy avec l'un de ses anciens petits amis. Bien qu'ils soient séparés depuis longtemps, Amy avait gardé la photo, car elle aimait cette image d'elle-même. Grace comprenait tout à fait la jeune femme. Avec ses cheveux blonds, son teint clair, sa robe blanche, Amy était rayonnante. Le fond de la photo, d'un ton neigeux, faisait ressortir remarquablement sa beauté éthérée.

— C'est Amy, dit-elle doucement en allant se placer à côté d'Ethan.

Ses yeux se posèrent sur la photo et, pour la première fois, elle détecta l'ombre d'une ressemblance entre Amy et Pilar Hunter. Leurs visages étaient différents, mais on retrouvait chez toutes deux une perfection des traits.

— De toute évidence, vous avez un faible pour les jolies femmes.

Ethan leva les yeux et soutint son regard.

— De toute évidence, oui.

Ses yeux s'abaissèrent, effleurant imperceptiblement les courbes harmonieuses du corps de Grace, avant de venir se reposer sur son visage. Elle vit une lueur sombre luire dans ses yeux et sentit son propre cœur se mettre à battre la chamade.

Pendant un long moment, ils gardèrent tous deux le silence, mais une onde électrique semblait se propager dans leurs corps et les pousser irrésistiblement l'un vers l'autre.

Non, cela ne pouvait pas être vrai, songea Grace. *Pas ici. Pas maintenant. Pas avec cet homme.*

Elle avait une mission à accomplir. Un tueur à débusquer. Rien ne devait se mettre en travers de son chemin.

Et pourtant, il y avait un obstacle sur sa route. Quelqu'un qui risquait d'obscurcir son jugement. Qui menaçait sa façon de vivre.

Grace savait qu'Ethan allait l'embrasser, mais elle n'eut pas la force de l'en empêcher. Pas la force de se défendre. Pas la force de faire autre chose que fermer les yeux brièvement, avant que ses lèvres ne touchent les siennes.

Ce ne fut rien de plus. Un effleurement presque imperceptible de ses lèvres. Mais son cœur se mit à tambouriner dans sa poitrine. Elle ne fit aucun geste pour résister, aussi Ethan approfondit-il son baiser. Grace finit par entendre les sirènes d'alarme qui hurlaient dans sa tête. *Tu ne peux pas ! Tu risques trop gros !*

Sans compter que cet homme était marié.

A cette pensée, elle recula immédiatement d'un pas et darda sur lui un regard furibond. Elle essaya de se convaincre qu'elle n'avait aucune responsabilité dans ce qui venait de se passer. Elle se promit que cela ne se reproduirait plus jamais. Jamais.

Elle s'attendait qu'il débite les platitudes et les excuses habituelles. « Je suis désolé, c'était une erreur. Je ne sais pas ce qui m'a pris. »

Mais il n'en fit rien. Il se contenta de la regarder avec un brin d'arrogance, comme s'il la mettait au défi de nier l'incroyable attirance qui les poussait l'un vers l'autre, l'alchimie qui enflammait leurs sens.

Sans un mot, Grace lui tourna le dos et sortit de la pièce.

6.

Réfugiée dans la chambre d'Amy, elle s'adossa au mur et ferma les yeux en attendant que les battements de son cœur reprennent leur rythme normal. Elle devait recouvrer son sang-froid.

Qu'aurait dit Myra si elle avait pu la voir en ce moment ? Ses mains tremblaient, son pouls battait la chamade. Une vraie gamine. Elle qui pourtant ne perdait jamais sa maîtrise de soi !

Elle rouvrit les yeux et prit plusieurs longues inspirations. Ce baiser, c'était une erreur, bien entendu. Mais on ne pouvait pas revenir en arrière. Il fallait l'oublier, tout simplement. Cesser d'y penser et se remettre au travail.

Travailler pour oublier, c'était ce que Grace savait le mieux faire. Et pour cause. Seul le travail lui avait permis de tenir le coup. Et, en comparaison de toutes les épreuves qu'elle avait traversées, un baiser semblait bien peu de chose à surmonter.

Et pourtant.

Il ne s'agissait pas que d'un simple baiser. Il n'était que l'expression de l'attirance qui existait entre Ethan Hunter et elle. C'était le genre d'attirance dangereuse, capable de vous faire oublier qui vous étiez.

Il ne pouvait rien y avoir entre eux. Après toutes ces années d'indifférence, ces années de chasteté, ce n'était pas un homme sans mémoire, un homme au passé dangereux, qui allait réveiller sa libido endormie !

Elle serait vigilante.

Après avoir pris encore une longue inspiration, elle regarda autour d'elle. Il était inutile de fouiller la chambre d'Amy. Tout ce qui avait la moindre importance avait déjà été enlevé. Elle ouvrit donc le placard et passa en revue les superbes vêtements de la jeune femme. Elle choisit une simple robe noire et des escarpins noirs. Puis elle prit dans le coffret à bijoux posé sur la coiffeuse un rang de perles et des boucles d'oreilles assorties.

Au moment où elle refermait le coffret, elle entendit des voix dans la pièce voisine. Elle songea tout d'abord qu'Ethan avait allumé la télévision, mais quand elle se dirigea vers la porte, elle vit un homme vêtu d'un costume bleu ciel.

Grace, bien qu'elle ne l'eût jamais rencontré, sut immédiatement qui il était. Lorsqu'elle pénétra dans le salon, le regard des deux hommes se posa sur elle et elle sentit un frémissement d'appréhension courir le long de son dos.

Ethan lui présenta l'inspecteur Pope, qui travaillait pour le HPD. L'homme haussa ses sourcils grisonnants et déclara :

— Vous vous êtes rendue sur la scène du crime hier soir. Je ne vous ai pas vue, mais Webber m'a parlé de vous. Il m'a dit que vous étiez bouleversée. C'est bien naturel.

— Oui, le sergent Webber s'est montré très courtois, dit Grace.

— Mais dites-moi, reprit Pope, je ne me souviens pas de la raison de votre présence à la clinique.

Grace lança un coup d'œil à Ethan. Il la considérait avec curiosité, et même de la méfiance. Toute expression de passion avait disparu de ses yeux sombres. Rien d'étonnant, puisqu'elle avait négligé de lui dire qu'elle s'était trouvée sur la scène du crime, juste quelques minutes après que le corps d'Amy eut été enlevé et qu'on l'eut lui-même transporté à l'hôpital.

Elle reporta son attention sur l'inspecteur Pope.

— Amy et moi avions prévu de dîner ensemble. Elle m'a appelée pour me prévenir qu'elle risquait d'être un peu en retard, car elle devait passer à la clinique avant de se rendre au restaurant. Je l'ai donc attendue, mais au bout d'un moment j'ai fini par m'inquiéter. La clinique n'est pas située dans un quartier très sûr, vous comprenez. Aussi j'ai décidé d'aller la retrouver là-bas.

Grace marqua un temps d'arrêt. Son regard tomba sur la robe, les chaussures et les perles qu'elle serrait dans sa main.

— La police était sur place quand je suis arrivée. Le corps d'Amy avait déjà été enlevé et le Dr Hunter emmené à l'hôpital.

— C'est pour cela que vous m'avez dit hier soir avoir déjà parlé à la police ? s'enquit Ethan.

Elle hocha la tête.

— Ils m'ont expliqué ce qui s'était passé, puis le sergent Webber m'a demandé de l'accompagner à la morgue pour identifier le corps d'Amy.

Grace frissonna en songeant à la pièce glacée, aux tiroirs en acier qui contenaient les cadavres. Elle ne pourrait jamais s'habituer à ça. Jamais.

L'inspecteur les regarda l'un après l'autre et s'enquit :

— Comment vous êtes-vous rencontrés, tous les deux ?

Grace ne laissa pas à Ethan le temps de répondre.

— Je suis allée à l'hôpital pour voir comment il allait, expliqua-t-elle. Quand j'ai appris qu'il voulait quitter sa chambre, j'ai proposé de le ramener chez lui. Et aujourd'hui, comme il se doutait que ma tâche ne serait pas facile il m'a offert de m'accompagner chez Amy. J'ai trouvé son geste très prévenant.

L'air suspicieux d'Ethan vira carrément à la perplexité. « Qui êtes-vous ? semblait-il vouloir dire. Où diable voulez-vous en venir ? »

— J'espère que nous n'avons rien fait de mal, inspecteur, poursuivit Grace en ouvrant de grands yeux innocents. Je veux dire en entrant ici. Il n'y avait pas de scellés sur la porte.

Pope la fixa, les yeux étrécis.

— Comment êtes-vous entrés, au fait ? Vous aviez une clé ?

— C'est la gérante qui nous a ouvert. Je lui ai expliqué qu'il me fallait des vêtements pour… habiller Amy. L'enterrement a lieu demain.

— Demain ? répéta l'inspecteur avec étonnement. N'est-ce pas un peu précipité ?

Grace haussa les épaules.

— Pas vraiment. Amy et moi n'avions pas de famille. Je préfère en finir le plus vite possible. Il n'y aura pas de problème… pour récupérer le corps, n'est-ce pas ?

Encore une fois, Grace sentit le regard d'Ethan peser sur elle avec curiosité. Mais elle concentra son attention sur Pope. Pas une seconde elle ne s'était laissé tromper par son air fatigué et son allure négligée. Cet homme était malin. Sitôt de retour à son bureau, il vérifierait son histoire.

— Je ne pense pas. Le médecin légiste a déjà rendu son rapport. Il n'a pas fallu longtemps pour déterminer la cause de la mort.

Grace réprima une grimace, et il balbutia :

— Désolé.

Il fit quelques pas dans le salon en regardant autour de lui. Sans se retourner, il ajouta :

— Pourquoi avez-vous quitté l'hôpital, docteur Hunter ? Vous n'étiez pas très en forme quand je vous ai vu hier soir.

Ethan lança à Grace un regard significatif.

« Nous reparlerons de tout ça en tête à tête », semblait-il vouloir dire.

— Je voulais rentrer chez moi et dormir dans mon lit. Je n'aime pas l'hôpital.

— C'est le comble pour un médecin, vous ne croyez pas ?

— Pas du tout, répondit calmement Ethan. La plupart de mes confrères sont comme moi. Vous n'avez jamais entendu dire que les médecins font les pires malades ? J'ai bien peur que ça soit vrai.

Très fort, songea Grace. Ethan ne se laissait pas démonter. Son habileté était presque effrayante. Elle le considéra avec une admiration nouvelle.

— Je suis passé vous rendre visite ce matin, dit Pope.

Il retira un portefeuille et un passeport de la poche intérieure de sa veste et les tendit à Ethan.

— Je voulais vous rendre ceci. Vos bagages et votre porte-documents seront ramenés chez vous aujourd'hui.

Ethan contempla longuement le portefeuille et le passeport avant de les glisser dans sa poche. Grace devina quelles pensées lui traversaient l'esprit. Un portefeuille contenait une foule de renseignements. Et un passeport, c'était la liberté.

L'inspecteur termina son tour de la pièce et se tourna vers eux.

— Vous avez trouvé ce que vous cherchiez, dit-il en désignant les vêtements que Grace tenait à la main. Vous n'avez qu'à envoyer les pompes funèbres réclamer le corps à la morgue.

— Je vous remercie. Je crois que nous pouvons partir, dit Grace à Ethan. J'ai d'autres formalités à accomplir.

— Très bien.

Ils se dirigèrent vers la porte, mais Pope ne fit pas mine de les suivre.

— Je fermerai en partant dit-il d'un ton sans réplique.

Ils le laissèrent au milieu de la pièce, examinant l'appartement avec une attention qui mit les nerfs de Grace à vif. Elle espéra qu'il n'allait pas tomber par hasard sur un indice que les agents de Myra auraient négligé.

Ethan lui prit le bras alors qu'elle s'engageait dans l'allée menant au parking.

— Pas si vite, dit-il. Je veux savoir ce que tout ça signifie.

— Que voulez-vous dire ?

— Pour commencer, pourquoi ne m'avez-vous pas dit que vous étiez passée à la clinique hier soir ? Vous m'avez laissé croire que c'était la police qui était venue vous informer de la mort d'Amy.

— Ce n'est pas vrai ! protesta Grace. Je vous ai seulement dit que j'avais parlé à la police. Que j'aie vu les inspecteurs à la clinique ou chez moi, quelle différence ?

— Que faisiez-vous à la clinique ?

Il la tenait toujours par le bras, sans la serrer. Mais Grace savait que si elle tentait de se dégager, il la retiendrait. Il avait trop de questions à lui poser pour la laisser partir.

— Je vous l'ai dit. J'avais rendez-vous avec Amy. Comme elle était très en retard je me suis inquiétée et je suis venue la chercher.

Grace savait que ses paroles étaient convaincantes. Mais son expression ? Ce n'était pas si sûr. Elle mit ses lunettes de soleil pour dissimuler ses yeux.

— Pourquoi ne m'avez-vous pas parlé de l'enterrement d'Amy ? demanda-t-il au bout d'un moment.

— Vous ne m'avez rien demandé.

Il allait protester, mais elle ne lui en laissa pas le temps.

— Je pensais que vous vous en moquiez. Amy ne comptait pas beaucoup pour vous.

Le regard d'Ethan s'assombrit.

— Comment le savez-vous ?

— Parce que sinon vous ne m'auriez pas embrassée.

Elle baissa les yeux sur la main qui lui tenait encore le bras et haussa les sourcils. Ethan la relâcha.

— Alors, elle ne comptait pas non plus pour vous, dit-il.

— Comment osez-vous dire ça ? Amy était ma sœur.

— Allez-vous nier que vous m'avez rendu mon baiser ?

— Ce n'est pas vrai !

Elle fut surprise elle-même par la véhémence de sa protestation. Elle avait réagi plus par instinct que par calcul.

— *Nous* nous sommes embrassés, dit-il en dardant sur elle un regard noir. C'était mutuel. Et je ne suis pas exactement fier de ce qui vient de se passer entre nous.

Grace ne s'attendait pas à ce genre de propos. Elle le regarda, l'air incertain.

— Que voulez-vous dire ?

— Je suis marié, Grace.

La phrase lui fit l'effet d'une gifle. En fait, elle aurait dû être soulagée qu'il ait ce genre de scrupules.

— Très bien, dit-elle d'un ton égal. Nous sommes d'accord, c'était une erreur et ça ne se reproduira plus. Il n'y a aucune raison que cela affecte notre association. Nous sommes adultes, n'est-ce pas ?

Une lueur étrange passa dans les yeux noirs de son compagnon.

— Vous croyez que ça sera si facile que ça ?

— Oui, dit-elle simplement. Il faut que ça le soit.

Quelques secondes s'écoulèrent en silence, puis il reprit :

— D'accord. Oublions ce baiser. Nous ferons comme s'il ne s'était rien passé. Nous allons nous promettre que ça n'arrivera plus. Mais il y a autre chose à mettre au point.

— Quoi donc ?

Il soutint son regard et déclara :

— J'ai peut-être perdu la mémoire, mais je ne suis pas aussi stupide que vous semblez le croire. J'ignore pourquoi vous n'allez pas voir la police pour leur raconter ce que vous savez. Mais je suis sûr d'une chose : cela n'a rien à voir avec Amy.

Grace fut heureuse d'avoir abrité ses yeux derrière ses lunettes noires.

— Je ne vois pas de quoi vous voulez parler. Je vous ai déjà expliqué pourquoi je ne désirais pas aller voir la police.

— Parce que vous ne voulez pas entacher la réputation d'Amy. Parce que pour la police, elle ne serait qu'un cas de plus à entrer dans les statistiques. Mais ça ne colle pas, Grace.

Le cœur de la jeune femme se mit à battre plus fort. A cause des accusations qu'il venait de proférer ? Ou de la façon dont il prononçait son nom ? Elle n'en était pas sûre.

Ethan la considérait en fronçant les sourcils, l'air soupçonneux.

— Vous parlez d'attraper un meurtrier. Un assassin qui tue froidement ses victimes. Il ne suffit pas d'avoir le cœur bien accroché pour y arriver, vous savez.

— Je sais, répliqua-t-elle d'un ton un peu hargneux. Je ne suis pas aussi stupide que *vous* semblez le croire !

— Oh, je ne crois pas que vous soyez stupide. Au contraire. Je pense que vous êtes très, très futée.

La conversation ne s'orientait pas vraiment comme elle l'aurait voulu.

Ethan reprit, d'un ton accusateur :

— Vous ne me dites pas tout, je le sais. Ne croyez pas pouvoir me berner.

— Je ne commettrais jamais l'erreur de vous sous-estimer, affirma-t-elle avec un élan de sincérité. Mais je vous ai dit tout ce que je savais. J'ai essayé de vous faire comprendre pourquoi tout cela était si important pour moi. Vous ne voyez donc pas ? Si j'étais arrivée à la clinique quelques minutes plus tôt hier soir, Amy serait encore en vie. Si je ne lui avais pas tourné le dos il y a des années, elle ne serait pas venue vivre à Houston. Elle ne vous aurait pas connu. Je l'ai toujours laissée tomber. Et maintenant, elle est morte. A cause de moi.

Grace marqua une pause. Les souvenirs refluèrent en masse à sa mémoire et un sentiment d'horreur l'enveloppa. Il lui avait fallu longtemps avant d'arriver à repousser les monstres, à vaincre les cauchemars qui avaient failli la rendre folle. Mais il y avait eu la mort d'Amy, la réapparition de celui qui l'avait tuée… et maintenant tout lui revenait en tête.

— Comment pourrai-je continuer de vivre si je laisse son assassin repartir libre ? murmura-t-elle.

Ethan ne voyait pas ses yeux. Grace songea qu'elle devrait peut-être ôter ses lunettes et lui laisser voir l'angoisse dans son regard, les larmes qui lui brûlaient les paupières. Elle n'avait rien contre le fait d'utiliser ses propres émotions pour obtenir ce qu'elle voulait. Mais cette fois, c'était trop. L'émotion était trop… véridique, trop intense.

— Je vois bien que vous avez souffert, dit-il doucement. Je sens que vous avez du chagrin. Mais je suis sûr que cela n'a rien à voir avec Amy.

Grace garda le silence. Alors il fit un pas en avant et se tint devant elle, immense. Menaçant. Elle eut l'impression qu'il était l'incarnation vivante de sa propre conscience venue lui adresser ses reproches.

— Je ne sais pas ce qui se passe réellement, dit-il. J'ignore quel rôle j'ai joué dans la mort d'Amy et je ne comprends pas pourquoi vous voulez absolument collaborer avec un homme que vous avez toutes les raisons de mépriser. Mais je sais une chose.

Il lui ôta ses lunettes, puis lui plaça doucement son doigt sous le menton pour l'obliger à lever la tête et à le regarder.

— Si vous me mentez, vous le regretterez.

114

Grace entra dans sa chambre d'hôtel et posa les doigts sur l'interrupteur. Sa main se figea avant même de l'actionner. Il y avait quelque chose d'anormal dans la chambre. Une odeur très subtile qu'elle n'avait pas décelée auparavant.

Immobile, Grace écouta dans l'obscurité. Puis, dans un parfait silence, elle glissa la main à l'intérieur de son sac et en sortit son arme. Tout en fouillant la chambre du regard, elle ôta la sécurité. Une brise légère lui effleura le visage et elle se rendit compte tout à coup que la fenêtre du balcon était ouverte. A l'instant où elle s'apprêtait à traverser la pièce, une voix lui parvint de la terrasse :

— Ce n'est que moi, Grace. Tu peux ranger ton arme.

Grace laissa retomber son bras, mais elle ne remit pas l'arme dans son sac. Elle alla rejoindre Myra Temple sur le balcon. Celle-ci était assise dans l'obscurité et Grace ne repéra sa silhouette que grâce à l'extrémité incandescente de la cigarette qu'elle portait à ses lèvres. Dans le silence qui suivit, elle entendit l'infime craquement du papier à cigarette qui se consumait.

— Comment ça s'est passé aujourd'hui ? demanda Myra.

Elle fumait trop, ce qui donnait à sa voix une nuance rauque, sensuelle, qui rappelait celle des chanteuses de jazz et faisait rêver les hommes. Grace remit enfin l'arme dans son sac avant de répondre :

— Je pense qu'il va coopérer.

— Que lui as-tu dit au juste ?

— Tout, ou presque. La vérité est toujours plus convaincante que les mensonges, c'est toi qui me l'as appris.

— Mais il croit toujours que tu es la sœur d'Amy. Tu ne lui as pas dit la vérité à ce sujet.

— Non.

Elle songea à leur dernière conversation, à la menace qu'il lui avait adressée et, malgré la touffeur qui régnait sur la terrasse, elle frissonna.

— Sa maison est surveillée ? demanda-t-elle.

— Huddleston et Smith sont déjà à leur poste, ils seront relevés après minuit, comme la nuit dernière.

Satisfaite, Grace hocha la tête. Soudain, elle se demanda ce que faisait Ethan, seul dans cette grande maison. Mais peut-être n'était-il pas seul. Pilar avait-elle décidé de lui rendre visite ?

En dépit de sa volonté, l'image de l'épouse d'Ethan lui apparut : le corps mince et souple, les cheveux brillants, le visage d'une rare beauté… Quel couple magnifique ils devaient faire ! Grace les imagina ensemble, dans les bras l'un de l'autre, nus, en train de s'embrasser, de faire l'amour…

Elle pensa aussi à la façon dont Ethan l'avait regardée aujourd'hui, dans l'appartement d'Amy. Au bref baiser qu'ils avaient échangé. L'image se brouilla, changea. Et elle se vit elle-même dans les bras d'Ethan. Nue, en train de l'embrasser, de faire l'amour avec lui.

— Alors, que fais-tu ici, assise toute seule dans le noir ? demanda-t-elle à Myra en essayant d'effacer les images défendues qui se présentaient malgré elle à son esprit.

Elle devina plutôt qu'elle ne vit le haussement d'épaules de Myra.

— Je réfléchissais au passé.

— Ne me dis pas que tu es mélancolique ! dit Grace en prenant place sur une chaise de la terrasse. Tu m'as toujours dit que la nostalgie était un piège dangereux qu'il fallait à tout prix éviter.

Elle entendit un tintement de glaçons et comprit que Myra portait un verre à ses lèvres.

— Je sais. Mais dernièrement il m'est devenu de plus en plus difficile d'éviter ce piège-là. Je me retrouve en train de méditer aux moments les plus étranges. Je suppose que c'est l'âge qui veut ça.

— Pas du tout. Tu es jeune.

Myra était toujours belle et pleine de vie. En outre, c'était une légende vivante du Bureau.

Elle soupira, ce qui ne lui arrivait pratiquement jamais.

— Je suis peut-être jeune pour l'état civil, Grace. Mais dans notre monde, quarante-trois ans, c'est vieux.

Impossible de soutenir le contraire. Grace demeura silencieuse un moment, réfléchissant à sa propre vie. Dans douze ans, elle aurait l'âge de Myra. Aurait-elle envie de regarder en arrière, à ce moment-là ? De *méditer,* comme disait Myra ? Elle avait du mal à l'imaginer.

Myra souleva une toute petite bouteille de whisky, une de celles qui se trouvaient dans le bar de la chambre, et la posa sur la table, entre elles. Le flacon avait été ouvert, mais Grace savait que le verre de Myra ne contenait pas d'alcool. Sur ce point, elle était intransigeante avec elle-même. Si elle avait pris la bouteille de whisky, c'était pour la mettre devant le fait accompli.

— Bon d'accord, j'ai bu un verre hier soir, admit Grace d'un ton qu'elle trouva elle-même trop défensif. Mais c'est tout. Ça ne se reproduira plus. Tu n'as qu'à fermer le bar et emporter la clé, si ça peut te rassurer.

Myra jeta son mégot de cigarette sur le bitume du parking et Grace vit de minuscules étincelles rougeoyantes s'envoler dans l'obscurité.

— Ce n'est pas nécessaire, répondit Myra. Je sais que tu te rappelles comme l'alcool t'a fait du mal autrefois. Mais tu es forte maintenant, Grace. Même plus forte que moi, par certains côtés.

Grace ne pensait pas que cela fût possible. Myra était incomparable. Elle n'aurait jamais eu l'idée de boire seule, au milieu de la nuit. Ni de faire l'amour avec un homme au passé encore plus obscur que le sien.

— Tu te rappelles la première fois que nous nous sommes rencontrées ? demanda Myra de but en blanc. Tu n'avais que dix-sept ans mais j'ai tout de suite compris que tu étais dotée d'une formidable capacité de résistance. Ton père voulait absolument casser ta volonté et je trouvais cela détestable.

Non ! songea Grace. *Non, ne me ramène pas à cette époque-là.*

Elle ferma les yeux, offrant son visage à la brise tiède de la nuit, comme si celle-ci pouvait balayer la vague de mélancolie qui s'était emparée d'elle et de Myra.

— Tu étais venue voir ton père au bureau, reprit celle-ci. Il venait juste d'apprendre que j'allais être sa nouvelle partenaire. Une femme. Il n'était pas très content.

— Certaines choses ne changent pas. Le Bureau est toujours un univers d'hommes.

— C'est vrai, reconnut Myra. Mais tu es devenue un excellent agent, Grace. Tu as gagné le respect de tes collègues.

— Toi aussi. C'est toi qui m'as tracé le chemin et je t'en serai toujours reconnaissante.

Au fil des années, Myra et elle avaient fini par ne plus avoir besoin de mots pour se comprendre. Elles avaient traversé beaucoup d'épreuves ensemble, mais Grace ne pouvait s'empêcher de penser que cette mission serait peut-être la dernière. Une fois Trevor Reardon éliminé, quelle serait la raison d'être de leur association ?

Myra se leva et s'étira.

— Au fait, nous avons relevé de nouvelles empreintes à la clinique hier soir, après le départ de la police. Je t'appellerai dès que j'aurai les résultats du labo.

Grace se leva et la raccompagna jusqu'à la porte. Dans le couloir aux lumières blafardes, Myra lui parut soudain beaucoup plus vieille que son âge. Un peu mal à l'aise, elle la regarda traverser le corridor et tourner à droite. Au bout d'un moment, elle entendit tinter les portes de l'ascenseur. Alors seulement, elle rentra dans sa chambre et ferma la porte à clé. Mais elle n'alluma pas la lumière. Seule dans l'obscurité, elle se laissa envelopper par les souvenirs.

La mélancolie de Myra semblait avoir ouvert une boîte de Pandore. Grace revit la maison de son enfance en proie aux flammes. Elle entendit les cris terrifiés de sa mère, les exclamations de son père. Et les hurlements de sa sœur.

Tremblant de la tête aux pieds, elle ferma les yeux. Il lui avait fallu des années pour faire sortir ces images de sa tête. Des années de thérapie pour ne plus voir, derrière chaque fenêtre, le visage de sa sœur avec sa chevelure en flammes. Des années consacrées uniquement à sa profession pour ne plus penser à la vive discussion qui l'avait opposée à Jessica quelques heures avant sa mort.

Comme un engin fou incontrôlable, l'esprit de Grace se mit à battre la campagne, se heurtant aux murs du passé, plongeant dans les abîmes sombres et boueux du souvenir. Des visages surgirent devant ses yeux. Des scènes se déroulèrent comme dans un brouillard. Elle aurait fait n'importe quoi pour que ça s'arrête. Mais il était trop tard, la machine s'était mise en route. Elle n'avait plus qu'à se recroqueviller en elle-même et à laisser sa mémoire la tourmenter.

Il y avait eu cet homme. Grace avait deviné dès le début qu'il était différent. Spécial. Mais ce n'est que beaucoup plus tard qu'elle avait appris à quel point il sortait de l'ordinaire. Lorsqu'elle l'avait rencontré à la bibliothèque, pendant les vacances, elle avait été éblouie. Il devait avoir une trentaine d'années et semblait si cultivé, si sophistiqué.

C'était aussi le plus bel homme qu'elle ait jamais vu. Quand il avait levé les yeux de dessus son livre et lui avait souri, elle avait tout de suite compris que c'était lui. L'homme de sa vie. Un aimant invisible la poussait irrésistiblement vers lui. Il avait des yeux bleus, des cheveux d'un châtain doré et bien qu'on soit au plein cœur de l'hiver son visage était bronzé, comme s'il revenait tout juste d'un lointain pays ensoleillé.

Grace fut si impressionnée par cette rencontre inattendue, qu'elle laissa tomber son livre. Le sourire de l'inconnu s'accentua, comme s'il devinait qu'il était la cause de son trouble et que cette idée l'enchantait. Grace tourna alors les talons et quitta la salle précipitamment.

Le jour suivant, elle le revit à la bibliothèque. Cette fois-ci elle parvint à surmonter sa nervosité et s'assit deux tables plus loin, en face de lui. Chaque fois qu'elle levait les yeux, elle rencontrait son regard et éprouvait une délicieuse sensation d'anticipation.

Le troisième jour, il l'aborda. Il posa les mains sur la table et se pencha vers elle. Grace respira le parfum enivrant de son eau de toilette, vit l'ombre d'une barbe sur sa joue et sentit son cœur chavirer. C'était un homme, pas un garçon de son âge.

— Voulez-vous que nous sortions d'ici ? chuchota-t-il d'une voix grave, pleine d'assurance.

C'est tout juste si elle eut la force de hocher la tête. Il lui prit son livre, le posa sur la table, puis lui saisit la main et l'entraîna vers le parking. Grace retint son souffle en voyant sa splendide voiture de sport.

— C'est votre voiture ?

Il fit tinter un jeu de clés devant elle.

— Vous voulez la conduire ?

Grace avait son permis, mais son père l'autorisait rarement à s'asseoir au volant de la berline familiale. Sa carrière au FBI l'avait rendu très protecteur envers sa famille, ce qui ne faisait que renforcer le caractère rebelle de la jeune fille. De fréquentes querelles les opposaient. Soudain, Grace se demanda ce qu'il dirait s'il la voyait en ce moment.

120

Cette pensée refréna aussitôt son élan d'indépendance. Après tout, l'homme qu'elle avait en face d'elle était un total inconnu. Elle secoua la tête et répondit :

— Je ne préfère pas.

— Allons, reprit-il de sa voix de velours. Je suis sûr que vous en mourez d'envie. Pour une fois dans votre vie, vivez dangereusement.

C'était un challenge irrésistible. Grace prit les clés et l'homme lui ouvrit galamment la portière. Comme il était différent des garçons avec lesquels elle sortait d'habitude ! Elle se glissa derrière le volant et attendit qu'il se soit installé dans le siège passager.

Elle mit le contact et le moteur rugit. Le son se propagea dans les veines de Grace comme un flot d'adrénaline. Elle éprouva une enivrante sensation de puissance.

L'homme lui prit la main, la posa sur le levier de vitesse et lui montra comment l'actionner. Le contact de ses doigts la fit frissonner. Elle lui lança un coup d'œil hésitant et demanda :

— Où allons-nous ?

— Où vous voulez, Grace.

Elle marqua une pause, et demanda d'un ton circonspect :

— Comment connaissez-vous mon nom ?

L'homme sourit, tira une carte de sa poche et la lui montra. C'était sa carte de bibliothèque.

— Vous avez fait tomber ceci le premier jour, dit-il. Quand vous vous êtes enfuie.

— Je ne me suis pas enfuie, protesta-t-elle, piquée au vif.

— Vous auriez peut-être dû, dit-il avec un sourire mystérieux. Je suis un homme dangereux.

— Je sais.

Leurs regards se croisèrent et se soutinrent un instant, puis il lui prit la nuque et l'attira vers lui. Il s'empara de ses lèvres et elle sentit tout de suite le contact de sa langue dans sa bouche. Elle savait qu'elle aurait dû le repousser. Cet homme était beaucoup trop vieux, trop expérimenté pour elle et c'était un inconnu. Un étranger qui l'embrassait comme personne ne l'avait fait jusqu'à présent. Qui lui faisait éprouver des sensations totalement nouvelles. Qui lui murmurait des mots que personne n'avait encore prononcés pour elle.

— Tu es très belle, lui murmura-t-il à l'oreille. Tu n'as pas idée de ce que tu représentes pour moi, Grace.

Elle eut l'impression qu'un torrent de lave en fusion déferlait en elle. La sensation fut si forte qu'elle s'accrocha à lui et gémit contre ses lèvres. Un désir inouï s'empara d'elle.

Il l'emmena chez lui, à quelques rues de l'endroit où elle vivait avec sa famille. Ils parlèrent un peu, essayant de faire connaissance et de dissiper la tension insupportable qui les tenaillait. Mais ils savaient tous les deux que l'inévitable allait se produire ce soir même, avant qu'elle ne le quitte.

Ils se retrouvèrent le lendemain et encore le soir suivant. C'est à peine si Grace avait le droit de sortir de temps à autre avec des garçons de son âge. Aussi, elle savait qu'il était hors de question de le présenter à ses parents. Elle se faufilait donc hors de la maison le soir, en suppliant sa sœur, Jessie, de dissimuler son absence.

Au contraire de Grace, Jessie ne s'était jamais rebellée contre l'autorité de leur père. Elle travaillait avec application pour lui faire plaisir et mentir n'était pas dans sa nature. Grace le savait. Mais les problèmes de conscience de sa sœur lui importaient peu. Rien n'aurait pu la faire renoncer à aller le retrouver.

La nuit de l'incendie, Jessie était très perturbée à l'idée de voir Grace s'échapper en cachette. Elle la menaça même de tout révéler à leurs parents, quitte à être punie elle aussi.

Grace s'était moquée d'elle, la qualifiant de « trouillarde ».

— Ne te mêle pas de mes affaires, avait-elle lancé avec mépris, avant d'enjamber la fenêtre et de se fondre dans l'obscurité pour aller rejoindre son amant.

Ce soir-là il lui avait semblé différent. Il s'était parfois montré sombre et même maussade, mais alors Grace avait trouvé cet aspect de sa personnalité plutôt attirant. Ce soir au contraire, il était exubérant. Tout souriant, il lui murmura qu'il avait un secret.

Ce n'est qu'après qu'ils eurent fait l'amour que Grace apprit ce qu'était ce secret.

— Veux-tu connaître mon vrai nom ? demanda-t-il en lui embrassant délicatement le bout des doigts.

Grace le regarda sans comprendre.

— Tu ne t'appelles pas Jonathan Price ?

Il éclata de rire.

— Espèce d'idiote ! C'est un nom d'emprunt. Je l'ai trouvé dans un livre.

Grace n'apprécia pas de s'entendre insulter. Elle s'écarta de lui, mais il ne parut même pas s'en apercevoir.

— J'ai plusieurs noms, mais il y en a un que tu as certainement déjà entendu. Trevor Reardon.

Cette fois elle le regarda d'un air horrifié, ce qui le fit rire de nouveau.

— Ce n'est pas drôle, murmura-t-elle, choquée.

En fait, cet homme commençait à lui faire peur. Elle se leva et ramassa ses vêtements à la hâte tandis qu'allongé sur le lit il la contemplait avec un sourire ironique.

— Trevor Reardon est en prison, dit-elle.

— Tu as donc bien entendu parler de moi.

Il s'appuya sur un coude et continua :

— Je me doutais bien que ton vieux s'était vanté de son coup quand il m'a capturé. Mais il ne t'a pas dit que je m'étais évadé il y a quelques semaines ! Il ne t'a donc pas prévenue que je risquais de venir prendre ma revanche ?

En effet, son père avait eu une attitude un peu étrange ces derniers temps. Il était encore plus protecteur qu'à son habitude et avait fait promettre à toute la famille de ne pas sortir à la nuit tombée. Etait-ce pour cette raison que Jessie avait eu si peur en la voyant s'enfuir le soir ? Elle savait peut-être quelque chose que Grace ignorait.

Entièrement rhabillée, elle se dirigea vers la porte à reculons. Elle ne croyait pas ce que disait cet homme, elle *ne pouvait pas le croire*. Et cependant…

Cependant, s'il disait la vérité ?

S'il était réellement Trevor Reardon ?

Elle porta une main à sa bouche, luttant contre une sensation de nausée.

— Qui es-tu ? chuchota-t-elle. Pourquoi fais-tu cela ?

— C'est un jeu. Je me suis bien amusé avec toi.

Il se leva et se tint là, nu devant elle.

— Mais la récréation est terminée, Grace. Il est temps de se mettre au travail.

La main crispée sur la poignée de la porte, elle balbutia d'une voix faible :

— Si je crie, on m'entendra. La police viendra.

— A ta place, je ne compterais pas trop sur la police. Mais je pense qu'en ce moment même, ta famille a sans doute besoin de toi.

Elle vit dans ses yeux qu'il disait la vérité. Elle comprit qu'il avait fait quelque chose d'abominable.

Grace pivota sur ses talons et s'enfuit. Il n'essaya pas de la suivre, mais son rire diabolique résonna derrière elle, dans l'obscurité.

124

Parvenue à quelques rues de chez elle, elle entendit le hurlement des sirènes. Puis elle vit les flammes. Quand elle atteignit l'allée du jardin, elle entendit les cris.

Mon Dieu, mon Dieu, mon Dieu…

Ce furent les seuls mots qui lui traversèrent l'esprit tandis qu'elle courait vers la maison en flammes. Quelqu'un lui agrippa les épaules et la retint. Elle se débattit pour se dégager et c'est alors qu'elle leva les yeux et vit Jessie derrière la fenêtre de la chambre. La douce, la jolie petite Jessie, qui tambourinait de ses poings contre le double vitrage en hurlant de terreur. Ses vêtements et ses cheveux étaient en feu.

Quelque part dans l'obscurité, Grace entendit le rire insupportable de Trevor Reardon…

Dévorée par les souvenirs, Grace vacilla et s'appuya au mur de la chambre d'hôtel pour ne pas tomber. La tête lui tournait et elle se sentait si faible… Même après toutes ces années elle croyait sentir encore la bouche de cet homme sur la sienne, ses mains courant sur son corps. Prise d'un haut-le-cœur, elle courut à la salle de bains. Ensuite, elle demeura longtemps prostrée sur le sol, accablée par les souvenirs qui tourbillonnaient autour d'elle et l'assaillaient. Elle voulut les chasser, mais ils revinrent à la charge. Ils n'en avaient pas fini avec elle. Il fallait qu'elle endure encore d'autres épreuves, qu'elle revive sans cesse ces horreurs.

Avec un gémissement sourd, elle se roula en boule et sentit le contact froid des carreaux en céramique contre sa joue.

Après cette nuit-là, le chagrin et la culpabilité avaient bien failli la tuer. Mais Trevor Reardon n'avait pas l'intention de la laisser en paix. Vêtu d'un costume de policier, il avait assisté au service funèbre, trois jours plus tard. Grace le savait, car il lui avait téléphoné ensuite pour le lui dire et il lui avait décrit en détail les vêtements qu'elle portait ce jour-là afin de lui prouver sa présence à l'église.

A la pensée qu'il s'était trouvé tout près d'elle, elle s'était effondrée. Elle n'aurait sans doute pas survécu sans la présence vigilante de Myra Temple.

Cette dernière l'avait aidée à traverser cette terrible période. C'est elle qui la contraignit à émerger du puits de désespoir dans lequel la jeune fille s'enfonçait. Elle l'obligea à cesser de boire. Et lui fit comprendre que Reardon gagnerait de nouveau si elle le laissait faire.

Avec l'aide et le soutien de Myra, Grace poursuivit ses études et obtint son diplôme de droit. Au bout de quelques années elle parvint même à avoir l'impression de mener une vie normale. Parfois, il lui arrivait d'oublier qu'il y avait quelque part dans le monde un tueur décidé à la supprimer.

Myra, elle, ne l'oubliait pas.

Le soir où Grace obtint son diplôme universitaire, Reardon l'attendait chez elle. Quand elle rentra, il la saisit à la gorge, l'entraîna vers le lit et, un poignard pointé contre sa joue, lui expliqua en détail ce qu'il allait lui faire.

C'est alors que Myra fit irruption dans la chambre, suivie de plusieurs agents qui eurent tôt fait de maîtriser Reardon. Myra marcha droit sur lui et, d'une main qui ne tremblait pas, lui posa le canon de son arme sur la tempe. L'espace d'une seconde, Grace crut qu'elle allait tirer.

Elle espéra de tout son cœur qu'elle allait tirer.

Mais Myra laissa retomber sa main. Reardon fut emmené et Grace put s'effondrer dans les bras de son amie. Elle se promit intérieurement que les larmes qu'elle versait ce soir-là seraient les dernières. Qu'elle ne serait plus jamais vulnérable. Qu'elle ne se laisserait plus jamais prendre pour cible.

Un mois plus tard, elle s'engagea dans une voie qui allait changer à jamais le cours de sa vie. Suivant les traces de son père, elle entra au FBI. Sa candidature fut si vite acceptée, qu'elle soupçonna Myra de lui avoir facilité les choses. Mais cela n'avait pas d'importance. Alors que Trevor Reardon était enfermé dans une prison à haute sécurité à des kilomètres de là, Grace commença un entraînement rigoureux à Quantico, en Virginie.

Elle se consacra totalement à sa profession et devint un des agents les plus intransigeants du Bureau. Si elle se retrouvait seule le soir, elle s'efforçait de ne pas penser à sa solitude. Elle se disait qu'elle n'avait pas de temps à consacrer à des relations superficielles, car il n'y avait de place dans sa vie que pour la justice.

L'isolement affectif dans lequel elle évoluait était devenu normal.

Trois mois auparavant, la nouvelle était tombée : Reardon s'était évadé pour la seconde fois. Grace n'avait pas été étonnée. Elle n'avait pas éprouvé de peur non plus. En fait, elle avait toujours su au fond d'elle-même que c'était inévitable. Qu'un jour ou l'autre, il se remettrait à la poursuivre. Elle demeurait pour lui un contrat inachevé et il ne connaîtrait pas de répit tant qu'il ne l'aurait pas éliminée.

Mais cette fois ce serait différent, songea-t-elle, allongée sur le sol froid et dur de la salle de bains. Cette fois, elle l'attendait de pied ferme. Cette fois, ce serait elle qui serait dans la peau du chasseur.

Et cette fois, quand Reardon et elle se retrouveraient face à face, un seul repartirait vivant.

7.

Le lendemain matin, Ethan fut éveillé par un délicieux arôme de chorizo frit. Il s'assit sur son lit et s'étonna de son aptitude à identifier le parfum des épices mexicaines alors qu'il ne parvenait toujours pas à se rappeler sa vie passée.

Les effluves appétissants montant de la cuisine firent gargouiller son estomac et il se rappela qu'il avait négligé de dîner la veille. Il se leva, se doucha et se rasa à la hâte. Les hématomes commençaient à s'estomper, son visage avait complètement désenflé et les coupures étaient en bonne voie de guérison.

Il examina ses traits avec détachement. La plupart des gens auraient probablement trouvé qu'il avait un physique hors du commun. Pourtant, il y avait toujours quelque chose qui le dérangeait dans son visage.

Peu tenté de réfléchir aux différentes explications possibles, il quitta la salle de bains et s'habilla rapidement avant de descendre dans la cuisine.

Debout devant les fourneaux, Rosa était en train de faire cuire du chorizo avec des œufs brouillés. Elle se retourna en entendant entrer Ethan.

— *Buenos días*, docteur Hunter. Vous semblez aller beaucoup mieux ce matin, ajouta-t-elle en lui lançant un regard perçant.

— Merci. Je me sens mieux, en effet.

Il alla s'asseoir devant le couvert déjà dressé sur la table.

— Je vous ai fait votre plat préféré. Des œufs au chorizo.

— Ça sent bon.

Ethan la regarda apporter la poêle sur la table pour le servir. Elle attendit qu'il ait goûté une bouchée. Un grand sourire s'épanouit sur son visage quand Ethan se mit à tousser à cause du piment.

— J'ai mis un peu plus de Tabasco que d'habitude, expliqua-t-elle. Cela stimulera votre circulation sanguine et vous aidera à guérir plus vite.

En effet, son sang circulait, songea Ethan. De fait, il avait l'impression que sa tête était prête à exploser.

— Je pourrais avoir un verre de jus d'orange ? parvint-il à articuler, la gorge en feu.

Rosa le considéra avec étonnement, les mains sur les hanches.

— Depuis quand aimez-vous le jus d'orange ?

— Depuis que j'en ai trouvé une bouteille au réfrigérateur.

— C'était pour moi ! rétorqua Rosa d'un ton accusateur. Vous n'aimez pas le jus d'orange, même pas quand on vient de le presser. Vous ne buvez que du *jugo de tomate*.

Le jus de tomate ne le tentait pas vraiment, mais il était prêt à essayer n'importe quoi pour soulager son palais en feu.

— Eh bien, va pour le jus de tomate.

Rosa avait tout de même l'air hésitant.

— Le coup que vous avez reçu sur la tête, docteur Hunter… ça vous rend encore bizarre, non ?

— Bizarre, c'est bien le mot, en effet, marmonna-t-il.

Rosa alla ouvrir le réfrigérateur et lui ramena un grand verre de jus de tomate glacé. Ethan avala une gorgée, puis une autre. Ce n'était pas mauvais. Il reposa le verre et lança un coup d'œil à Rosa.

— Vous aviez raison. Le jus de tomate est souverain.

Elle hocha la tête d'un air satisfait et fit mine de retourner à son fourneau, mais s'immobilisa tout à coup. Elle regarda Ethan et son regard se voila.

— J'ai lu dans le journal ce qui était arrivé à Amy Cole. Docteur Hunter, pourquoi ne m'avez-vous pas dit ce qui s'était passé, l'autre soir ?

— Parce que je ne voulais pas vous inquiéter, Rosa.

Elle se mordit la lèvre en triturant son tablier du bout des doigts.

— La pauvre petite. Je ne l'avais vue qu'une fois, quand elle était venue vous chercher ici. Mais je l'avais trouvée très gentille.

Ethan acquiesça en silence, peu désireux d'encourager une conversation à laquelle il aurait du mal à participer. Il ne se souvenait pas d'Amy. Tout ce qu'il se rappelait, c'était le cri qu'elle avait poussé avant de mourir.

Il baissa les yeux sur son assiette, comme pour chasser ce souvenir-là aussi.

Rosa interpréta ce silence comme l'expression de son chagrin. Elle murmura quelques mots de réconfort en espagnol et retourna à son travail.

Ethan avala péniblement quelques bouchées de nourriture, puis repoussa son assiette. Son appétit l'avait déserté. Plusieurs minutes s'écoulèrent dans un silence tendu, puis il demanda :

— Au fait, Rosa, comment vont votre fille et son bébé ?

Rosa fit brusquement volte-face et le dévisagea avec surprise.

— Qu'y a-t-il ? demanda Ethan, inquiet. J'ai dit quelque chose qu'il ne fallait pas ?

L'étonnement de Rosa se mua en une gêne évidente. Son front s'assombrit et elle fronça ses sourcils noirs.

— Non. C'est juste que… pourquoi voulez-vous avoir des nouvelles de ma fille, docteur Hunter ? Il y a longtemps que vous ne m'avez plus parlé d'elle.

— Longtemps ?

Rosa eut une hésitation et reprit :

— Nous ne parlons jamais de notre vie personnelle quand nous sommes ensemble. C'est l'accord que nous avions passé quand j'ai commencé à travailler pour vous. Vous disiez que ce serait mieux ainsi.

— Mieux pour qui ?

Elle haussa les épaules avec une sorte de lassitude et revint se camper devant la table de la cuisine.

— Docteur Hunter, vous êtes sûr que vous vous sentez bien ? Vous devriez peut-être retourner à l'hôpital.

— Ne vous tracassez pas pour moi, répliqua Ethan avec désinvolture. Je vous ai dit que cela prendrait quelques jours pour que les effets de la commotion disparaissent.

— Je sais, mais il n'y a pas que ça.

Elle marqua un temps d'arrêt avant de continuer :

— Vous n'êtes plus le même. Vous ne vous exprimez plus de la même façon. Et même physiquement, vous êtes…

Elle n'alla pas au bout de sa phrase. Sa main se posa sur sa poitrine comme si elle était sur le point de se signer. Ethan fronça les sourcils.

— Mon visage est encore couvert d'hématomes et ma voix est un peu déformée, c'est tout.

Il se rendit compte qu'il était sur la défensive malgré lui et se demanda pourquoi.

— Peut-être, admit Rosa à contrecœur. Mais je crois quand même que vous devriez aller à l'hôpital.

Ethan essaya de la rassurer d'un sourire.

— Donnez-moi encore quelques jours, Rosa. Vous verrez, je serai remis sur pied en moins de temps qu'il n'en faut pour le dire.

Rosa grommela quelques mots indistincts.

Ethan se leva et alla déposer son assiette dans l'évier.

— Y a-t-il un annuaire quelque part ? s'enquit-il.

— Dans le placard à côté de la porte, répondit-elle en lui coulant un regard en coin.

De toute évidence, elle mourait d'envie de savoir qui il voulait appeler. En dépit de l'accord qu'ils avaient passé au sujet de leur vie privée Ethan voyait ses yeux noirs briller de curiosité. Ou était-ce de la suspicion ?

Il trouva l'annuaire là où elle le lui avait indiqué, ramena les deux volumes des Pages Jaunes sur la table et se mit à les feuilleter. Il trouva rapidement la rubrique des armuriers et mémorisa le nom d'un magasin qui se trouvait sur le Katy Freeway.

Comment le trouver ? Tout ce qu'il savait c'était que sa maison était située dans Memorial Drive.

Il consulta le plan de la ville imprimé dans l'annuaire et s'aperçut que Katy Freeway était une rue parallèle à Memorial Drive. L'armurerie n'était donc pas très loin de chez lui.

Il referma l'annuaire, remit les deux volumes à leur place et se tourna vers Rosa. Celle-ci le considérait toujours d'un air incertain.

« Et encore, elle ne sait pas tout ! » songea Ethan.

— Savez-vous où se trouvent mes clés de voiture ? demanda-t-il.

— Non. Mais je sais où est le double.

Elle ouvrit un tiroir et en sortit une clé qu'elle lui tendit. Ethan vit le symbole de la marque Porsche sur la clé et décida que c'était de bon augure.

— Au fait, dit-il en empochant le trousseau, je pense qu'il serait plus prudent de faire changer le code du système d'alarme. Contactez la société de sécurité le plus tôt possible.

Ethan longea le couloir qui menait au garage, ouvrit la porte et pressa le bouton lumineux qui commandait l'ouverture automatique. La lourde porte métallique se souleva lentement. Le soleil pénétra dans le garage et les yeux d'Ethan se posèrent sur la Porsche. Il ne put retenir un petit sifflement admiratif.

La voiture d'un noir brillant, presque aveuglant, semblait prête à s'élancer comme une flèche sur la route. Mais le garage contenait également deux voitures anciennes à l'allure tout aussi impressionnante. Une Corvette rouge vif garée à côté de la Porsche et plus loin, une Thunderbird 1964 de couleur blanche.

Ethan prit quelques secondes pour admirer les trois véhicules avant de se glisser au volant de la Porsche et de la faire démarrer. Il passa une vitesse, appuya sur la pédale d'accélérateur et entendit le crissement des pneus sur le goudron de l'allée.

Une Porsche, une Corvette, une Thunderbird, songea-t-il avec admiration. Pour la première fois depuis l'instant où il s'était éveillé à l'hôpital, il songea à la vie privilégiée dont jouissait le Dr Hunter. Peut-être y avait-il certains aspects de sa personnalité qu'il pouvait admirer, après tout ? Pour commencer, il avait très bon goût en matière de voitures.

En matière de femmes aussi.

A en juger par la photo d'Amy Cole qu'il avait vue la veille, celle-ci était au moins aussi belle que Pilar, son épouse. Mais pour une raison qu'il n'aurait pu expliquer, aucune de ces deux femmes ne lui semblait réelle. Elles étaient presque trop parfaites, comme s'il les avait choisies pour l'admiration qu'elles suscitaient et non par amour. En dépit de leur extrême beauté, ces deux femmes le laissaient de glace.

L'amnésie dont il souffrait était peut-être responsable de cette absence d'émotion. Mais alors comment expliquer sa réaction toute différente vis-à-vis de Grace ? La fossette qui creusait son menton, les taches de rousseur sur son nez, le minuscule grain de beauté sous son sourcil droit, la rendaient infiniment plus attirante et plus séduisante à ses yeux que ces deux créatures aux traits purs.

Grace était une vraie femme, capable d'éprouver une vraie passion. Ethan en était absolument certain. Il avait vu cette passion dans ses yeux hier, juste avant qu'il ne l'embrasse. Avant qu'elle ne se soit enfuie dans la chambre d'Amy, dans une vaine tentative d'échapper à l'attirance qui les réunissait.

Mais quand elle était revenue, l'alchimie spéciale qui les poussait l'un vers l'autre ne s'était pas évaporée. Il l'avait sentie quand il avait plongé le regard dans ses yeux après qu'ils eurent quitté l'appartement. Puis encore le soir, quand elle l'avait déposé chez lui.

Le sentiment était toujours là quand il s'était endormi en pensant à elle...

En l'espace de deux journées, Grace Donovan lui était entrée dans la peau comme aucune autre femme avant elle. Mais pour un certain nombre de raisons, il était impossible d'envisager une relation avec elle. Il n'avait pas de mémoire. Aucune idée de ce qu'il avait bien pu faire dans le passé. La seule chose dont il pouvait être certain, c'est qu'il était marié. Peut-être avait-il eu une liaison avec Amy Cole ? Grace méritait mieux qu'une simple aventure.

Et Pilar ? Tu te soucies donc si peu des sentiments de ton épouse ?

Ethan essaya d'éprouver quelque chose pour sa femme. Il fit un réel effort pour ramener à sa mémoire un sentiment quelconque. Mais rien ne remonta à la surface. Rien, sinon l'impression dérangeante que Pilar était à l'origine de l'attaque qu'il avait subie deux nuits auparavant. C'était elle sans doute qui était indirectement responsable de la mort d'Amy.

134

Ethan jeta un coup d'œil dans le rétroviseur. Les rues étaient presque désertes à ce moment de la matinée, et il avait remarqué une berline blanche qui roulait derrière lui depuis quelques minutes. Mais alors qu'il commençait à croire qu'il était suivi, le clignotant de la berline s'alluma et la voiture blanche tourna à droite, dans le parking d'un immeuble de bureaux.

Par sécurité, Ethan fit le tour du pâté de maisons. Quand il repassa devant l'entrée du parking la berline était toujours garée devant l'immeuble et il n'y avait personne au volant.

Quelques minutes plus tard, il atteignit le centre commercial de Katy Freeway. L'armurerie était située entre une teinturerie et un magasin d'articles de sport. Ethan se gara à l'extrémité du parking, devant la boutique de sport, prit son arme non chargée dans la boîte à gants et la glissa dans la poche de sa veste.

Il était juste un peu plus de 10 heures et les magasins venaient d'ouvrir. Il n'y avait personne dans l'armurerie, à l'exception d'un employé qui nettoyait le comptoir de verre. Il actionna l'ouverture de la porte pour Ethan et celui-ci vit qu'un autre employé était occupé à ranger des cartons dans l'arrière-boutique.

— 'Jour ! Que puis-je pour vous ? lança le premier, en cessant d'astiquer le comptoir.

C'était un grand homme maigre d'une cinquantaine d'années, vêtu d'un jean et d'une chemise de style western. Des armes de toutes sortes et de tous calibres étaient exposées dans les vitrines. Ethan constata avec un vague étonnement qu'il se sentait parfaitement à son aise dans cet environnement. La pensée qu'il était un drôle de médecin le traversa encore une fois. Et de fait, si tout ce que Grace avait dit était vrai, il n'était pas un médecin ordinaire.

Il s'avança vers le comptoir, tira l'arme de sa poche et la posa sur le verre. L'employé siffla doucement, un peu comme Ethan quand il avait vu la Porsche.

— Quelle petite merveille ! Combien vous en voulez ?

— Je ne veux pas la vendre. Je pensais que vous pourriez peut-être me renseigner. C'est mon beau-père qui me l'a légué à sa mort. Je pense qu'il a été fabriqué sur commande.

— C'est certain, dit l'homme en ramassant l'arme pour l'examiner avec délicatesse. C'est un Colt 1911 qui a été modifié sur demande spéciale. Vous voyez ceci ? C'est une mire qui permet de viser la nuit. Ça a dû coûter une jolie somme à votre beau-père.

Ethan regarda l'employé manier l'arme avec une habileté qui lui parut familière.

— Savez-vous où il a pu s'adresser pour faire exécuter ces modifications ?

L'employé brandit le revolver et visa une cible imaginaire.

— Il y a une boutique en Arkansas qui fait ce genre de travail. Ils modifient des armes de ce calibre pour la police, les unités d'intervention d'urgence du FBI et même quelquefois pour des unités d'élite de l'armée.

— L'armée ? répéta aussitôt Ethan. Ils le font sans doute aussi pour la marine ?

L'homme soupesa le revolver et demanda :

— Votre beau-père était dans l'armée ?

— Pas récemment.

L'employé lui adressa un clin d'œil de conspirateur et dit :

— Vous n'étiez peut-être pas au courant. Ces gars-là sont des cachottiers, vous savez. Ils ne parlent pas de leur job.

Ethan marqua une pause avant de demander :

— Cette armurerie en Arkansas doit tenir un registre des commandes reçues, n'est-ce pas ?

— Probablement, dit l'homme en se grattant le crâne. Mais si la commande a été passée par un service de police ou de l'armée, ils ne sauront pas à quel individu l'arme était destinée. Ils ont peut-être la possibilité de le savoir en remontant la filière du service auquel appartenait le revolver, mais ça m'étonnerait qu'ils vous donnent le renseignement. Et même s'ils acceptaient de le faire ça ne vous servirait à rien.

— Pourquoi ?

— Vous voyez, ça ?

Du bout de l'index, l'employé traça une ligne invisible, le long du canon du revolver.

— Le numéro d'identification de l'arme a été effacé.

Ethan lui prit le revolver des mains et le dirigea vers la lumière. C'est à peine si on pouvait distinguer une très légère imperfection à l'endroit où se trouvait autrefois le numéro. Le métal avait été poli jusqu'à ce que les chiffres aient disparu. Quelqu'un s'était donné beaucoup de mal pour accomplir ce travail délicat.

Le regard de l'employé s'imprégna d'un brin de suspicion.

— Apparemment, votre beau-père ou quelqu'un d'autre ne voulait pas qu'on puisse savoir que cette arme lui appartenait.

— Eh bien, merci de votre aide.

Ethan reprit le revolver, salua l'employé et s'empressa de sortir. Il se félicita d'avoir été assez prévoyant pour se garer loin du magasin. Vu le regard soupçonneux que l'homme lui avait lancé, il risquait fort d'alerter la police. Mais s'il le faisait, il serait obligé de sortir de sa boutique pour voir la plaque d'immatriculation de la voiture d'Ethan.

Ce dernier se glissa derrière le volant et démarra rapidement. Personne n'était sorti de l'armurerie. Pour plus de prudence il partit dans la mauvaise direction afin de ne pas avoir à repasser devant le magasin.

Il eut la sensation curieuse que le revolver posé sur le siège à côté de lui était un être vivant.

« C'est un ancien officier des unités d'élite de la marine. Un expert en explosifs qui a vendu ses talents au plus offrant. Il est devenu un mercenaire, un assassin et même un terroriste… »

Etait-il possible qu'il soit entré en possession d'une arme appartenant à Trevor Reardon ? L'avait-il ramenée aux Etats-Unis et mise en sécurité dans son coffre pour… Pour quoi, au fait ? Se protéger dans l'éventualité où Reardon chercherait à le pourchasser ?

Ethan essuya du revers de la main les gouttes de sueur qui coulaient sur son front. Ce devait être ça. C'était pour cette raison qu'il était en possession d'une arme pareille.

— Il n'est pas à la maison ? répéta Grace, incrédule. Où est-il allé ?

La gouvernante haussa les épaules en toisant Grace avec froideur.

— Il avait des courses à faire.

— Il ne vous a donné aucune indication ?

Bon sang, songea Grace, il savait qu'elle allait venir ce matin. Il aurait pu l'attendre !

Et pourquoi est-ce que personne ne l'avait appelée pour la prévenir qu'il était parti en balade, en offrant au tueur une cible magnifique ?

Rosa l'enveloppa d'un regard désapprobateur.

— Je ne lui demande jamais où il va. Cela ne me regarde pas, précisa-t-elle en insistant sur ces derniers mots.

Il était évident que Rosa ne l'aimait pas. Grace s'était déjà heurtée à ce genre de problème. On la trouvait parfois trop abrupte, trop impatiente, trop dure. Les femmes n'aimaient pas cela. Certains hommes non plus, d'ailleurs.

Elle fit un effort sur elle-même et prit un ton plus doux pour déclarer :

— Ecoutez, je ne veux pas vous importuner. Mais il faudrait que je parle au Dr Hunter des obsèques qui ont lieu cet après-midi.

138

— Les obsèques ?

Grace hocha la tête en se mordant les lèvres.

— Vous avez appris ce qui est arrivé à Amy Cole ? L'assistante du Dr Hunter ?

Rosa se signa.

— Oui. Quelle pitié ! Elle était si jeune et si *bella*.

— Amy était ma sœur, Rosa. Je suis venue prévenir le Dr Hunter que le service funèbre aurait lieu aujourd'hui.

L'expression de Rosa changea complètement. Toute trace de suspicion s'évanouit et ses traits s'imprégnèrent d'une profonde compassion.

— *Lo siento,* dit-elle en prenant la main de Grace pour la faire entrer. Venez, je vous en prie. Ne restez pas en plein soleil.

Elle précéda Grace dans l'escalier, en disant par-dessus son épaule :

— Je vais vous préparer une boisson fraîche. Ensuite vous me parlerez de votre sœur.

Grace fut émue par son ton apaisant et elle eut brusquement envie de faire ce que souhaitait la gouvernante. Pour la première fois depuis des années, elle éprouva le besoin de parler de Jessie, de sa bonté, de sa pureté, de son intégrité. Jessie avait été presque une sainte, alors que Grace…

Le cri rauque du perroquet la ramena brutalement au moment présent. Elle jeta un coup d'œil de l'autre côté du salon. L'air important, le splendide volatile arpentait son perchoir.

Quand il vit Grace il se mit à battre des ailes en criant d'une voix stridente :

— Ils ne sont pas vrais ! Ils ne sont pas vrais !

— Tais-toi, Jacquot, stupide animal ! cria Rosa d'un ton sévère. C'est une terrible créature, ajouta-t-elle à l'adresse de Grace. Il retient tout ce qu'il entend à la télévision.

Grace se demanda quels programmes il pouvait bien regarder pour avoir un vocabulaire pareil !

Elle suivit Rosa dans la cuisine. La gouvernante prépara deux verres de thé glacé et s'assit avec elle devant la table, renonçant visiblement à toutes les conventions sociales. Elles burent en silence, puis Rosa demanda :

— Vous étiez venue pour parler au Dr Hunter de l'enterrement ?

Grace acquiesça en hochant la tête.

— La cérémonie aura lieu à 16 heures cet après-midi à la chapelle de la Colline. J'ai pensé qu'il voudrait peut-être y assister.

Rosa sembla sur le point de dire quelque chose, mais opta finalement pour le silence. Grace avala une autre gorgée de thé.

— Il y a longtemps que vous travaillez pour le Dr Hunter ?

— Oui, assez longtemps, répondit Rosa avec un haussement d'épaules.

— Vous devez bien le connaître.

— Ce n'est pas facile de connaître le Dr Hunter. Il est très… *complicado*. Complexe. Certains le considèrent comme un saint.

— Et vous ? s'enquit Grace en scrutant attentivement le visage de la gouvernante.

Celle-ci marqua une légère hésitation.

— Ce n'est pas un saint. Il a ses défauts, il en a même beaucoup. Mais de bien des façons, c'est un homme bon.

— Vous voulez parler de son travail ?

Rosa approuva d'un signe de tête.

— Surtout de ce qu'il fait au Mexique. Si vous voyiez les enfants qui viennent à la clinique, vous auriez le cœur brisé. La plupart d'entre eux sont nés avec des malformations terribles. Ils sont rejetés dans leur propre village, personne ne les aime.

140

Grace se demanda comment l'homme qui soignait ces enfants pouvait être le même que celui qui acceptait l'argent des criminels pour leur refaire le visage. Ethan était-il une sorte de Dr Jekyll et Mr Hyde ? Un homme doté de deux personnalités bien distinctes ? Cette idée la fit frémir.

— Comment avez-vous connu le Dr Hunter ? demanda-t-elle à Rosa.

L'expression de celle-ci changea, une vague de tristesse traversa son visage.

— C'était il y a longtemps, à Mexico. Quand ma fille était petite je travaillais dans un bar, dans un très mauvais quartier de la ville. Marta et moi vivions dans un minuscule appartement d'une seule pièce, au deuxième étage. C'était un taudis, mais je ne pouvais pas nous payer autre chose. Quelquefois, quand je travaillais tard, la petite s'ennuyait et elle descendait pour rester près de moi. Je ne voulais pas qu'elle vienne. Elle commençait à grandir et à ressembler à une femme. Elle était si belle que les hommes lui tournaient déjà autour. Une nuit il y a eu une bagarre d'ivrognes. Dans la confusion générale, un des hommes a entraîné Marta à l'extérieur. Il a essayé de…

Rosa ferma brièvement les yeux, comme si le souvenir était trop douloureux pour être revécu en pensée. Grace ne comprenait que trop bien ce qu'elle ressentait.

— Que s'est-il passé ? demanda-t-elle très doucement.

Rosa fut parcourue d'un frisson et reprit :

— Marta l'a repoussé de toutes ses forces, elle s'est mise à crier. Alors, l'homme a sorti un couteau pour la faire taire. Et il lui a lacéré le visage.

— Je suis désolée.

— Elle est restée horriblement défigurée. Les gens la regardaient avec dégoût dans la rue, les enfants avaient peur d'elle. Marta s'est complètement repliée sur elle-même. Elle avait honte de son visage. Les années ont passé et un jour j'ai entendu parler du Dr Hunter. C'était avant qu'il ouvre sa clinique dans la jungle. Il venait à Mexico deux fois par an pour travailler à l'hôpital. Les gens parlaient de lui comme d'un dieu. On disait qu'un jeune et beau docteur accomplissait des miracles, qu'il pouvait donner aux monstres les plus hideux le visage d'un ange. Marta n'était pas un monstre, mais elle portait d'horribles cicatrices à l'intérieur comme à l'extérieur. Le Dr Hunter était mon seul espoir de la voir guérir.

— A-t-il pu l'aider ? s'enquit Grace, envoûtée par le récit de la gouvernante.

— Oui. Au début, Marta a eu peur de lui, comme elle avait peur de tous les hommes qui l'approchaient. Mais le Dr Hunter a su lui parler avec douceur. Il lui a expliqué qu'il faudrait plusieurs opérations, mais qu'à la fin elle serait belle de nouveau. Et il avait raison.

Une larme coula sur la joue de Rosa et elle l'essuya furtivement.

Cette histoire avait bouleversé Grace, plus qu'elle ne voulait l'admettre. Sa mission était difficile en elle-même. Mais quand elle songeait à la fille de Rosa et à tous les enfants qu'Ethan avait aidés, elle ne pouvait s'empêcher d'avoir un problème de conscience. Cela valait-il la peine de risquer la vie d'un médecin aussi talentueux et généreux qu'Ethan Hunter pour tenter d'éliminer Trevor Reardon ?

Elle n'osa pas s'attarder sur cette question et se leva.

— Il faut que je parte, j'ai encore mille choses à faire.

Rosa hocha la tête d'un air compréhensif et se leva également. A l'instant où elles allaient franchir le seuil de la cuisine, le téléphone sonna. Grace lui fit un petit signe de la main.

— Allez répondre, je retrouverai le chemin de la sortie.

Toutefois, parvenue dans le salon, elle ne put résister au plaisir de s'arrêter devant le perroquet. Il s'était formé un lien particulier entre eux, décida-t-elle. Une sorte d'irrespect mutuel. En outre, elle avait besoin d'oublier l'histoire de Rosa et de chasser les doutes que la gouvernante avait fait naître chez elle.

— Alors ton nom est Jacquot, hein ? Comme dans « Jacques a dit » ?

Le perroquet la regarda en penchant la tête de côté.

— Alors, pourquoi tu ne le dis pas, Jacquot ? Je sais que tu en meurs d'envie.

Jacquot cligna les paupières mais garda le silence. Au bout de quelques secondes, Grace lança, d'un ton moqueur :

— Ils ne sont pas vrais, ils ne sont pas vrais ! Alors, Jacquot, qu'en dis-tu ?

L'oiseau gonfla ses ailes, l'air important, et s'écria :

— Débarrassons-nous de ce salaud une fois pour toutes !

Tu l'as dit.

Amy Cole n'avait pas de famille. Grace joua son rôle jusqu'au bout en s'occupant de tous les détails de l'enterrement. Elle avait demandé un service simple et commandé un superbe bouquet de roses blanches qu'elle avait fait placer sur le cercueil en acajou, avec une photo de la jeune femme.

Curieusement, la petite chapelle était bondée. Grace regarda autour d'elle, essayant de deviner l'identité des personnes présentes. Un groupe se tenait autour de la gérante de l'appartement et elle comprit qu'il s'agissait des voisins d'Amy. Il devait certainement y avoir ses collègues de travail, mais Grace ne les connaissait pas.

Elle consulta sa montre et se demanda pourquoi Ethan n'était pas encore arrivé. Elle ne l'avait pas vu de la journée et les agents qui le surveillaient ne lui avaient pas communiqué de rapport sur ses faits et gestes.

Dix minutes s'écoulèrent encore. Ethan restait invisible. Grace commença à s'inquiéter. Lui était-il arrivé quelque chose ? A cette pensée, Grace sentit un goût amer envahir sa bouche. Elle voulait la capture de Reardon, mais à quel prix ? Deux jours auparavant, elle aurait répondu « n'importe quel prix ». Mais c'était avant qu'elle ne fasse la connaissance d'Ethan.

Tu es folle. Tu ne connais pas cet homme. Tu ne lui dois rien.

C'était vrai. Mais en l'espace de deux jours il avait éveillé quelque chose en elle qu'elle croyait mort à jamais. Des sentiments. Une attirance.

Le désir.

Elle ferma les yeux, tandis que la vague puissante du doute déferlait en elle. Elle ne voulait pas désirer un homme. Elle ne pouvait pas se le permettre. Le désir entraînait automatiquement la vulnérabilité. La faiblesse. Or, Grace devait demeurer forte. Concentrée sur son objectif. Si elle n'y parvenait pas, cela pourrait lui coûter la vie. Ou celle d'Ethan.

Mais que se passerait-il si Reardon réussissait à percer leurs projets à jour ?

C'était impossible. Leur plan devait fonctionner, il fonctionnerait.

Oui, mais cette opération ne leur avait-elle pas déjà réservé son lot d'imprévus ? Amy Cole n'aurait pas dû mourir. En fait, elle n'aurait jamais dû se trouver à la clinique ce soir-là. Sa coopération avec le FBI était absolument nécessaire afin d'élaborer le piège qui devait mener à la capture de Reardon. Mais Grace n'avait pas été tout à fait honnête et Amy avait pris peur. Si Myra avait deviné juste, Amy s'était rendue à la clinique pour prévenir Ethan que les fédéraux étaient à ses trousses. Et c'était ainsi qu'elle avait trouvé la mort.

Grace ne pouvait que s'adresser des reproches. Elle aurait dû savoir interpréter certains signes. Amy était follement amoureuse d'Ethan. Quand elle avait brusquement compris ce que sa collaboration avec les autorités signifiait pour lui

— et pour elle — elle avait été saisie de panique. Grace aurait dû comprendre ce qui allait se passer. Mais elle n'avait pas su évaluer l'effet que l'amour peut avoir sur une personne. Ce qu'il peut la pousser à faire…

Sur ce plan-là, elle était nulle.

Ce n'était pas le moment de déclencher une avalanche de souvenirs. Elle reporta donc son attention sur la foule. Un homme venait d'entrer et se dirigeait tout droit vers l'endroit où reposait Amy. Il contempla longuement la photo de la jeune femme et posa les doigts sur la surface lisse du cercueil. Puis il se mit à pleurer en silence.

Grace l'observa, mal à l'aise. Qui était-il ? Comment connaissait-il Amy ? Celle-ci avait dit à Grace qu'elle n'avait pas de famille et pas d'ami en dehors d'Ethan. Mais de toute évidence, cet homme était profondément touché par sa disparition.

Quelqu'un toucha le bras de Grace et elle fit brusquement volte-face. Un aumônier se tenait à son côté, une bible serrée contre sa poitrine. Grand, mince, droit, il paraissait avoir une quarantaine d'années. De hautes pommettes donnaient à son visage qui sans cela aurait été banal une allure noble. Ses lèvres étaient minces, son nez un peu proéminent et ses cheveux noirs étaient striés de gris. Grace se dit qu'il avait les yeux les plus doux qu'elle ait jamais vus.

Il lui tendit la main et elle la prit, comme à regret. Sa poigne était ferme, chaleureuse. Malgré tout, la jeune femme sentit un frémissement se propager le long de son épine dorsale. Elle retira sa main dès qu'elle put le faire sans paraître hostile. Le prêtre lui sourit.

— Vous êtes la sœur d'Amy, je crois.

Grace eut une seconde d'hésitation. Mentir au service de son pays, c'était une chose. Tromper délibérément un homme d'église en était une autre.

— Nous n'étions pas très proches, dit-elle prudemment.

— Cela arrive dans les familles. Un désaccord survient, le temps passe et avant qu'on ait pu en prendre conscience il est trop tard. Mais tâchez de trouver quelque réconfort dans la pensée qu'en fait il n'est jamais trop tard. Vous reverrez votre sœur.

Grace ne pouvait détacher les yeux du col blanc de sa soutane. Et soudain, elle comprit pourquoi cet homme avait quelque chose de familier qui la mettait mal à l'aise. Elle n'avait pas approché de prêtre depuis les obsèques de sa famille. Mais elle avait un souvenir très vif de cette journée. Le prêtre lui avait tenu la main et avait tenté de la réconforter en lui expliquant que sa famille et elle seraient un jour de nouveau réunies dans l'au-delà.

Plus tard, Grace avait décidé que c'était sur terre qu'elle trouverait la paix, une fois Reardon mis définitivement hors circuit.

L'homme, penché sur le cercueil, pleurait toujours. L'aumônier eut un sourire triste et demanda à Grace de l'excuser.

Elle le vit poser doucement la main sur l'épaule de l'inconnu. Il lui adressa quelques mots à mi-voix et au bout d'un moment les sanglots de l'homme se calmèrent. Il se redressa, s'écarta du cercueil. Son regard effleura Grace quand il passa à côté d'elle pour aller s'asseoir au fond de la chapelle.

Il était presque 16 heures. Rosa entra dans la chapelle et fit un signe de tête à Grace avant de prendre place dans les rangs de devant. Au moment où le prêtre pénétrait dans le chœur, deux retardataires arrivèrent, provoquant une vague de chuchotements dans l'assistance.

Grace reconnut sur-le-champ la jeune femme. Pilar Hunter lui avait paru magnifiquement belle sur la photo qu'elle avait vue, en chair et en os, elle était d'une beauté absolument renversante.

Au contraire de la plupart des autres femmes elle avait renoncé au noir et portait une robe bleu pâle sans manches qui mettait merveilleusement en valeur ses cheveux et ses yeux sombres.

La robe était courte et les talons de ses escarpins très hauts. Ses longues jambes paraissaient ne plus en finir. Grace ne put s'empêcher de baisser les yeux sur ses propres vêtements. Une simple robe de soie noire qu'elle trouvait naguère flatteuse pour sa silhouette. Pour la première fois de l'après-midi, elle fut presque heureuse qu'Ethan ne soit pas là.

L'homme qui accompagnait Pilar lui prit le bras pour la guider vers l'un des bancs. Ils s'installèrent juste derrière Grace et celle-ci perçut une forte bouffée du parfum de Pilar. C'était une fragrance lourde et exotique qui semblait avoir capturé l'essence même de la jeune femme.

Le service commença. Grace était de plus en plus consciente de la présence de Pilar derrière elle. Elle avait l'impression que son regard noir ne la quittait pas. Elle songea à ce qu'Ethan avait dit. C'était une femme capable de jeter de l'acide sur sa voiture… ou même de le lui lancer au visage. Grace comprenait ce qu'il avait voulu dire. Bien qu'elle ait à peine eu le temps d'entrevoir Pilar, elle avait senti la violence qui émanait d'elle avec presque autant de force que son parfum.

Myra et elle s'étaient-elles trompées ? se demanda-t-elle tout à coup. Etait-il vraisemblable que Trevor Reardon ne soit pas responsable de l'agression à la clinique ? Quelqu'un d'autre voulait-il la mort d'Ethan ?

Grace essaya de ne pas s'appesantir sur cette idée. Il ne fallait surtout pas qu'elle se laisse entraîner par son imagination et relâche sa méfiance. C'était exactement ce que Reardon attendait. Pour autant qu'elle le sache il pouvait aussi bien se trouver dans cette salle en ce moment, la contempler de loin et rire du tour qu'il lui jouait…

Grace leva la tête et croisa le regard du prêtre. Celui-ci lui sourit et lui adressa un petit signe de sympathie presque imperceptible, avant de pencher la tête et de prier pour l'âme d'Amy Cole.

8.

Perplexe, Ethan considéra les chaussures entassées sur le sol de sa chambre. Une migraine douloureuse lui serrait le crâne comme un étau.

Pourquoi ces chaussures ne lui allaient-elles pas ?

Avec des gestes nerveux, il en enfila une autre paire. Puis encore une autre. Chacune de ces chaussures était trop petite pour lui. La seule paire qui lui convenait c'était celle qu'il portait le soir où il s'était réveillé à l'hôpital et qu'il n'avait pas quittée depuis.

C'étaient des mocassins qui allaient très bien avec ses vêtements décontractés. Mais aujourd'hui, pour assister aux obsèques d'Amy, il avait choisi un costume noir, une chemise blanche et une cravate sombre. Quand il avait pris les chaussures en vernis noir assorties à sa tenue, il s'était aperçu qu'elles étaient trop petites pour lui. Comme toutes celles que contenait le placard.

Il ne comprenait pas. D'accord, ses vêtements étaient tous un peu trop grands, mais cela s'expliquait par le fait qu'il avait perdu du poids après l'intervention chirurgicale. Et sa cicatrice était là pour prouver qu'il avait bien subi une appendicectomie. Son rêve de chute du haut d'une falaise, l'impression qu'on lui avait tiré dessus, tout cela c'étaient des visions causées probablement par les produits anesthésiants. Quant à son amnésie, elle avait été provoquée par le coup qu'il avait reçu à la tête.

148

Tout ce qui lui était arrivé avait donc une explication logique. Mais pourquoi ses chaussures ne lui allaient-elles pas ?

Ethan ramassa un des souliers noirs et l'examina attentivement. Qui s'amuserait à acheter des douzaines de paires de chaussures, à un prix sans doute exorbitant, dans une mauvaise pointure ? Cela n'avait aucun sens.

Tout à coup, une douleur fulgurante lui transperça le crâne, une lumière éblouissante l'aveugla. Ethan laissa tomber la chaussure et pressa les mains contre ses tempes en fermant les yeux.

Une image se forma dans sa tête. Il vit quelqu'un courir désespérément dans la jungle. Il crut sentir l'odeur humide de la végétation, la chaleur étouffante. Il crut même entendre le vacarme d'une poursuite. Il *ressentit* la terreur de l'homme pourchassé. Mais le visage de cet homme n'était pas celui que le miroir renvoyait à Ethan.

Et pourtant, cet homme, c'était lui sans être lui.

Il se sentait indéniablement rattaché à l'inconnu qui fuyait dans la jungle. Il connaissait cet homme d'une façon précise, bien mieux qu'il ne connaissait l'étranger qui lui rendait son regard dans le miroir.

Pourquoi avait-il des visions concernant un autre homme ?

Pourquoi les chaussures contenues dans son placard n'étaient-elles pas à sa taille ?

Pourquoi était-il en possession d'une arme qui avait très probablement été confiée à quelqu'un qui faisait partie de l'armée ? Ou de la marine ? Quelqu'un comme Trevor Reardon ?

Pourquoi un chirurgien plasticien aurait-il su se servir d'une arme pareille ?

Une explication surgit en même temps qu'un nouvel éclair de lumière devant ses yeux.

Une douleur insoutenable explosa dans sa tête et l'espace d'une seconde il crut qu'il allait s'évanouir.

Quand le service funèbre fut terminé, Grace leva les yeux et s'aperçut qu'Ethan se tenait à la porte de la chapelle. Leurs regards se croisèrent et un flot d'adrénaline se déversa dans ses veines.

Ethan était pâle, constata-t-elle avec une brusque anxiété. Il semblait sous le choc d'une forte émotion.

Elle se leva pour le rejoindre, mais fut arrêtée en route par les gens qui désiraient la saluer. La gérante de l'appartement, un voisin et enfin Rosa, dont la froideur initiale avait complètement disparu. Tout en pressant la main de Grace dans la sienne en un geste de réconfort, la gouvernante jeta un coup d'œil vers le fond de la salle et plissa les lèvres d'un air désapprobateur.

Grace suivit son regard et s'aperçut que Pilar et son compagnon se trouvaient face à Ethan. L'intérieur de la chapelle était à présent presque désert. Seul l'homme qui pleurait tout à l'heure était resté assis, la tête penchée et priant en silence. Debout près de l'autel, l'aumônier attendait que tout le monde soit sorti. Le soleil de fin de journée qui transperçait les vitraux derrière lui l'entourait d'une auréole de lumière qui lui donnait l'apparence d'un ange. Une image qui aurait dû réconforter Grace. Mais bizarrement ce n'était pas le cas.

Dans l'espoir d'éviter un esclandre, elle rejoignit Ethan. Leurs regards se croisèrent, mais ils gardèrent tous deux le silence.

Pilar l'observa avec hauteur.

— Vous êtes la sœur d'Amy Cole.

Sa voix mélodieuse était aussi séduisante que le reste de sa personne. Elle avait en outre un léger accent espagnol qui ajoutait du piment à sa stupéfiante beauté exotique.

— Je suis Pilar, l'épouse d'Ethan.

Elle appuya sur ces derniers mots et Grace s'interrogea sur le genre de relation qu'Ethan entretenait avec elle.

— Enchantée de vous connaître, répondit-elle en tendant la main.

Mais c'est à peine si la jeune femme daigna lui effleurer la paume du bout de ses doigts fins et manucurés.

— Vous ne lui ressemblez pas du tout, assena-t-elle avec une moue méprisante.

— Ma sœur était très belle, répliqua Grace sans se démonter.

Pilar haussa ses épaules minces et brunes.

— Dans un style plutôt racoleur, non ?

Ethan émergea enfin de sa torpeur.

— Pour l'amour du ciel, Amy est morte ! Tu pourrais avoir un peu de respect pour elle.

Pilar lui jeta un regard furibond et répliqua, l'air outragé :

— A-t-elle eu du respect pour notre mariage ?

Ethan se tourna vers l'homme qui accompagnait Pilar et demanda :

— Pourquoi l'as-tu laissée venir ?

L'homme rit doucement.

— Comme si on pouvait empêcher Pilar de faire ce qu'elle veut ! Tu devrais savoir cela mieux que personne. Au fait, je me présente, Bob Kendall, dit-il en tendant la main à Grace. Je suis vraiment désolé pour votre sœur.

Sa poignée de main était ferme et il laissa ses doigts s'attarder sur les siens juste quelques secondes de trop.

Grace éprouva instantanément de la répulsion à son encontre. Ses yeux gris étaient fuyants, son amabilité trop appuyée pour être sincère.

— Tu te sens mieux, mon vieux ? demanda-t-il à Ethan. Je te trouve un peu pâle.

— Je vais très bien, répondit Ethan d'un ton sec.

— Tu devrais quand même rendre visite à Mancetti. Elle n'a pas dû être ravie en apprenant que tu avais quitté l'hôpital sans son autorisation.

Ethan ne prit pas la peine de répondre. Se tournant vers Grace, il marmonna :

— Quand pouvons-nous partir ?

— Tout de suite. L'enterrement lui-même aura lieu plus tard dans l'intimité.

Ethan avait les yeux cernés, son regard était voilé.

Se rappelait-il enfin Amy ? Se souvenait-il de l'amour qu'il avait éprouvé pour elle ?

Ethan se tourna vers la porte, mais Pilar lui prit le bras.

— Tu ne peux pas partir comme ça. Ce n'est pas fini entre nous, Ethan.

Ce dernier la contempla pendant un long moment. Puis il se dégagea fermement et dit :

— J'aurais pourtant juré le contraire.

Bien qu'il fût déjà 17 heures, le soleil était encore brûlant. Ethan sortit une paire de lunettes de soleil de la poche intérieure de sa veste et les mit sur son nez. Son mal de tête ne s'était pas dissipé, malgré la poignée de cachets d'aspirine qu'il avait avalée. La douleur était plus sourde, mais des images confuses continuaient de tourbillonner sous son crâne.

Grace tenta d'aligner son pas sur le sien, mais en vain. Quand il s'en rendit compte, il ralentit l'allure puis s'arrêta carrément à l'ombre d'un grand chêne dont les branches basses étaient si lourdes qu'on les avait consolidées pour leur éviter de se briser. De la mousse argentée garnissait le tronc, donnant à l'arbre une apparence presque irréelle. Les voitures garées au loin sur le parking étaient enveloppées d'une brume de chaleur qui rendait leurs contours flous. Tout le paysage paraissait prêt à s'évanouir dans un nuage. Mais cette atmosphère surréaliste collait parfaitement avec l'humeur d'Ethan.

— Que vous est-il arrivé ? s'enquit Grace, légèrement hors d'haleine. Je commençais à m'inquiéter.

— Vraiment ?

— Bien sûr. Vous savez aussi bien que moi que vous courez un grave danger.

— Vous croyez ?

Le visage de la jeune femme s'assombrit un peu.

— Que s'est-il passé, Ethan ? Pourquoi êtes-vous arrivé si tard ?

Qui suis-je ? Bon sang, qui suis-je ?

Il étudia ses traits et la trouva particulièrement jolie aujourd'hui. Elle lui sembla aussi très calme, pour quelqu'un qui venait d'assister au service funèbre de sa sœur. Son humeur était maussade, assortie à sa robe noire, cependant il y avait quelque chose dans ses yeux. Une certaine intensité, qui le portait à croire qu'il n'était pas le seul à avoir des secrets.

Il lui prit le bras et l'attira à l'ombre du chêne.

— Et si je vous disais que je ne suis pas celui que vous croyez ?

Grace posa sur lui un regard inquisiteur.

— Que voulez-vous dire ?

Il marqua une pause, ne sachant comment lui exposer ses doutes. « Je ne suis peut-être pas le Dr Ethan Hunter. En fait, je suis probablement… »

Il ne parvint même pas au bout de sa pensée. Son cœur se mit à battre à grands coups désordonnés. Il était certain de ne s'être jamais senti aussi seul dans sa vie, aussi peu maître de la situation, aussi perdu qu'en ce moment.

Et il y avait Grace. Grace qui l'attirait toujours autant. Grace qu'il désirait tellement. Et que par un effet pervers il désirait peut-être encore plus qu'avant, car si ce qu'il soupçonnait était vrai, il savait qu'elle ne pourrait jamais être sienne…

En fait, il serait obligé de choisir entre sa vie… ou celle de Grace.

Celle-ci l'observait toujours, de son regard incroyablement limpide et intense à la fois. Il se demanda à quoi elle pensait et si elle se doutait des sentiments qu'il éprouvait.

Elle lui toucha le bras. Ethan tressaillit et réprima un grognement.

— Vous rappelez-vous quelque chose ?

— Non. Mais si je vous disais…

Il était sur le point de lui confier ce qu'il avait constaté à propos des chaussures et du revolver, mais un mouvement à l'entrée de la chapelle attira son attention. Un homme sortit du petit bâtiment et marqua un temps d'arrêt, regardant autour de lui. Ethan se rappela vaguement l'avoir aperçu pendant le service. Il était assis au dernier rang et pleurait en silence quand Ethan était entré.

Il l'observa un moment, puis reporta son attention sur Grace. Mais du coin de l'œil, il vit que l'inconnu se dirigeait vers eux.

— Savez-vous qui est cet homme ? lui demanda-t-il brusquement.

Celle-ci se retourna et regarda dans la même direction que lui. Ethan la vit se crisper.

— Non, dit-elle. Il était à l'intérieur de la chapelle et il m'a paru ravagé de chagrin.

L'homme approcha. Il était difficile de lui donner un âge. Mais il y avait quelque chose dans sa démarche et dans sa tenue vestimentaire décontractée, qui donna l'impression à Ethan qu'il était assez jeune. Une trentaine d'années, certainement pas quarante. Ses tempes étaient prématurément dégarnies et sa bouche et ses yeux étaient soulignés de rides d'expression.

Alors qu'il parvenait à leur hauteur, Ethan entendit Grace réprimer une exclamation et retenir son souffle. Sans doute à cause de l'expression de fureur inscrite sur le visage de l'inconnu. Du coin de l'œil, il la vit glisser une main dans son sac.

Mais avant qu'il ait pu s'interroger sur ses intentions, l'homme s'avança vers lui. Il était à peu près de la même stature qu'Ethan, à peine plus petit de quelques centimètres. Pendant quelques secondes ils se firent face et se jaugèrent.

— Docteur Ethan Hunter ?

— Oui, c'est moi.

Sans prévenir, l'homme se projeta en avant et assena à Ethan un coup de poing en pleine figure. Un éclair de douleur traversa son visage déjà endolori et il recula d'un pas en chancelant. Une terrible fureur s'empara aussitôt de lui et instinctivement, il s'élança vers son agresseur. Mais Grace s'interposa avec une autorité surprenante.

— Arrêtez ! ordonna-t-elle en leur posant à chacun une main sur la poitrine. Pourquoi avez-vous fait cela ? demanda-t-elle ensuite en se tournant vers l'inconnu.

— Il l'a bien mérité, rétorqua l'homme d'un ton plein de fureur.

— Je ne sais même pas qui vous êtes, rétorqua froidement Ethan.

L'homme le foudroya du regard.

— Naturellement, vous ne vous souvenez pas de moi. Après tout, je n'étais que l'homme qu'Amy allait épouser... avant que vous n'entriez en scène !

Grace sentit que la colère montait de nouveau en lui et elle le repoussa du plat de la main.

— Calmez-vous. Le lieu et le moment sont mal choisis pour se battre.

L'expression de l'homme changea immédiatement. Il baissa la tête et ses yeux s'emplirent de larmes.

— Vous avez raison. Amy ne serait pas contente si elle me voyait.

Il recula de quelques pas, faisant visiblement un effort sur lui-même pour se calmer. Mais il continuait de darder sur Ethan un regard noir.

— Nous nous sommes déjà rencontrés, dit-il. Je suppose que vous ne vous en souvenez pas. Je m'étais rendu chez Amy pour essayer de la reconquérir, mais c'était trop tard. Vous l'aviez séduite.

Les yeux de cet homme exprimaient une telle souffrance qu'Ethan en eut le cœur serré. Il ne savait toujours pas s'il était bien le Dr Hunter ou quelqu'un d'autre. Mais une chose était sûre. Il n'éprouvait aucune sympathie pour Hunter et n'appréciait pas la façon dont il traitait les gens.

— J'ignorais qu'Amy était fiancée, dit doucement Grace. Elle ne m'en a jamais parlé.

— C'est curieux, dit l'homme en s'essuyant les yeux. Elle ne m'avait jamais dit non plus qu'elle avait une sœur.

Grace sentit le regard d'Ethan se poser sur elle. Mais elle garda les yeux fixés sur l'ex-fiancé d'Amy. Elle éprouva un élan de pitié. Il n'avait pas un physique vraiment ingrat, mais avec ses tempes dégarnies, ses vêtements ordinaires, son visage banal, il avait dû avoir l'impression d'être un vermisseau amoureux d'une étoile. Rien d'étonnant à ce qu'il manifeste une telle animosité à l'égard d'Ethan. Ce dernier avait tout le pouvoir de séduction qui lui manquait.

— Amy et moi ne nous sommes pas vues pendant des années, expliqua doucement Grace. Nous n'avons recommencé à nous parler que très récemment.

— Ceci explique sans doute pourquoi elle ne faisait jamais allusion à sa famille. Je m'appelle Danny Medford, précisa-t-il en tendant la main.

— Grace Donovan. Et vous connaissez déjà le Dr Hunter, ajouta-t-elle, un brin ironique.

Danny lança un coup d'œil assassin à Ethan et se retourna vers Grace.

— Je ne sais pas si ça sera possible, mais…

Il s'interrompit, mal à l'aise.

— Quoi donc ? demanda aussitôt Grace avec sollicitude.

— Croyez-vous que nous pourrons nous voir, un jour ? Pour parler d'Amy.

L'homme paraissait gentil, mais Grace n'avait pas l'intention de prolonger longtemps la comédie qu'elle jouait, ni d'entretenir le chagrin qu'il éprouvait. Toutefois, elle n'avait pas le choix pour le moment. Ethan avait les yeux fixés sur elle. Elle était obligée de rester dans la peau de son personnage.

— Naturellement. Dans quelques semaines peut-être. Il nous sera alors moins douloureux de parler d'elle.

Danny approuva d'un signe de tête, sourit et prit dans sa poche une carte qu'il tendit à la jeune femme.

— C'est mon numéro professionnel. Vous pouvez m'appeler n'importe quand.

Grace glissa la carte dans son sac.

— Je suis heureuse d'avoir fait votre connaissance, Danny.

— Moi aussi. Je ne serais pas étonné que nous nous rencontrions de nouveau, ajouta-t-il en se tournant vers Ethan.

Celui-ci se contenta de hausser les épaules avec désinvolture.

— La prochaine fois, je me tiendrai sur mes gardes.

Quand l'homme eut tourné les talons, Ethan sortit un mouchoir de sa poche et essuya un filet de sang au coin de ses lèvres.

— Encore un des ennemis du Dr Hunter, dit-il d'un ton énigmatique en regardant Medford monter dans une vieille Toyota cabossée. Ils sortent du bois les uns après les autres.

— Celui-là semble assez inoffensif.

Ethan haussa un sourcil tout en tamponnant sa lèvre ensanglantée.

— Vous pouvez parler, vous !

Grace réprima un sourire.

— En comparaison des autres, s'entend. Le véritable ennemi dont il faut se soucier, c'est Trevor Reardon.

— Je me demande…

Le regard d'Ethan se fit sombre et profond, comme s'il s'égarait dans des contrées où Grace n'osa pas le suivre. Peut-être parce qu'elle les connaissait trop bien ?

Il y avait encore quelques gouttes de sang au coin de ses lèvres. Elle lui prit le mouchoir des mains.

— Laissez-moi faire.

Elle essuya le sang aussi délicatement que possible, mais Ethan grimaça de douleur. Il lui prit la main et l'écarta. L'espace de quelques secondes ils demeurèrent ainsi, la main dans la main, les yeux dans les yeux. La gorge de Grace se contracta comme quand elle avait le trac.

Cela lui arrivait régulièrement. Le premier jour où elle se lançait dans une nouvelle mission. Chaque fois qu'elle devait sortir son arme. Ou bien quand elle se trouvait face au danger. Mais aujourd'hui c'était différent. Car la menace ne provenait pas de l'homme qu'elle avait en face d'elle. Mais de ce qui se passait en elle-même.

Elle frissonna en le regardant. Il y avait tant de choses qu'elle ignorait sur lui. Mais elle ne pouvait nier l'attirance qu'il lui inspirait. Les sentiments qu'elle éprouvait. Les émotions qui la tourmentaient étaient si intenses que s'il l'avait embrassée à cet instant précis, elle n'aurait pas eu assez de volonté pour lui résister.

Elle avait eu très peu de relations amoureuses au fil des ans, mais chaque fois c'était avec des hommes qui n'envisageaient aucun avenir avec elle. Il ne pouvait pas y avoir d'avenir avec Ethan non plus. Et pourtant, Grace aspirait à quelque chose qu'elle n'avait jamais souhaité auparavant. Brusquement elle eut l'impression que son cœur était vide et pour la première fois depuis très longtemps, elle se sentit très seule, perdue.

Elle éprouva une brève bouffée de haine envers Ethan pour lui avoir fait éprouver ce sentiment. A cause de lui, elle avait presque perdu confiance en elle.

Elle ferma les yeux et se laissa envelopper par la chaleur. L'humidité faisait boucler ses cheveux sur sa nuque et elle sentit la soie de sa robe se plaquer sur son corps. Tout à coup, elle imagina qu'une eau fraîche lui léchait les chevilles. Qu'une brise légère soulevait sa chevelure. Qu'un homme nu était allongé à côté d'elle et lui susurrait des mots à l'oreille…

Quand elle rouvrit les yeux, Ethan l'observait avec une telle intensité qu'elle fut certaine qu'il avait lu dans ses pensées. Elle retint son souffle.

— Qu'allons-nous faire, Grace ?

Elle n'essaya même pas de prétendre qu'elle ne comprenait pas. Le magnétisme qui les poussait l'un vers l'autre était trop évident.

— Il n'y a rien à faire. Seulement ignorer nos sentiments.

— Vous croyez que c'est possible ?

Le regard d'Ethan s'assombrit tellement qu'elle dut détourner les yeux. Il fallait qu'elle trouve un moyen de vaincre le pouvoir qu'il détenait sur elle.

— Il le faut. Comme vous l'avez dit hier, vous êtes marié. Ce n'est pas parce que vous avez perdu la mémoire qu'il faut croire que vous ne ressentez plus rien pour votre épouse. Vous l'aimez peut-être encore.

Ethan faillit éclater de rire.

— Vous croyez vraiment ce que vous dites ?

Grace songea à la froideur de Pilar, au vide qu'exprimaient ses yeux et elle frissonna.

— Je ne pense pas que vous l'aimiez encore. Vous ne l'avez peut-être même jamais aimée. Mais ça ne change rien au fait que vous soyez marié. Je prends ces choses très au sérieux, Ethan.

— J'aimerais pouvoir dire la même chose.

Visiblement il n'essayait pas de faire de l'humour. Son visage était grave.

— Cela nous ramène à Amy, déclara-t-elle calmement. Je ne veux pas être une autre de vos conquêtes.

— Je n'ai aucun souvenir d'Amy. Tout ce que vous m'avez dit sur elle ne me paraît même pas véridique. C'est comme si quelqu'un d'autre avait eu cette liaison avec elle. Quelqu'un d'autre a épousé Pilar. Pas moi. Je ne suis pas cet homme-là.

Grace aurait aimé que toutes ces suppositions soient vraies. Qu'il ne soit pas le Dr Hunter, mais quelqu'un de totalement différent. Un homme libre et honorable. Un homme qui lui donnerait une deuxième chance dans la vie.

Mais le rêve et la réalité étaient deux choses bien différentes. Nul ne le savait mieux que Grace.

— Ethan…

— Je ne suis pas cet homme, Grace, insista-t-il.

Il la regarda d'une telle façon qu'elle aurait presque pu se laisser convaincre. Il lui caressa la joue du dos de la main et repoussa une mèche qui lui barrait la joue. Ses gestes étaient si doux qu'elle éprouva l'envie de pleurer. Elle ferma un instant les yeux et souhaita de tout son cœur qu'il l'embrasse, tout en sachant que s'il le faisait elle serait perdue.

Elle fit un pas en arrière.

— Le fait d'avoir perdu la mémoire ne change rien à ce que vous êtes. Ni à ce que vous avez fait.

— Ce que j'ai fait ?

Son front s'assombrit encore plus. Il se passa les doigts dans les cheveux et se détourna brusquement.

— Rien ne changera jamais ce que j'ai fait.

— Non. Mais tout le monde peut se racheter.

Ethan pivota sur ses talons et plongea le regard dans le sien.

— Et comment croyez-vous que je puisse payer pour mes péchés ? demanda-t-il, le visage tendu.

Grace haussa les épaules.

— M'aider à livrer Trevor Reardon à la justice serait déjà un bon début.

L'expression d'Ethan se durcit. Une lueur indéfinissable passa dans ses yeux.

— C'est très joli tout ça, mais je n'ai pas l'impression que vous soyez aussi naïve ou aussi optimiste que vous voulez le faire croire. Je ne me rappelle peut-être ni qui je suis ni ce que j'ai fait, mais je pense ne pas être le seul à détenir des secrets. Vous me cachez quelque chose.

Grace s'efforça de garder son calme.

— Quoi donc ?

Il hésita un instant, son regard se fit pensif.

— Nous connaissions-nous avant ?

— Non.

Le cœur de Grace battait la chamade. Il s'approchait trop de la vérité. Ses soupçons s'amplifiaient de minute en minute et elle ne savait comment les apaiser. S'il découvrait qui elle était et de quelle façon elle se servait de lui…

— Je vous ai déjà dit que nous ne nous étions jamais rencontrés avant l'autre soir, à l'hôpital.

— Alors quel est le lien entre nous ? demanda-t-il d'un ton pressant.

— Une attirance. Une alchimie… Appelez ça comme vous voudrez. Mais il n'y a rien de plus.

— Pourquoi ai-je l'impression du contraire ?

Ethan lui agrippa les bras et l'attira vers lui.

— Pourquoi ai-je l'impression de vous connaître mieux que celle qui se prétend ma femme ? Pourquoi ai-je le sentiment de savoir quel goût auraient vos lèvres si je vous embrassais maintenant ? Quel goût aurait votre peau, si nous faisions…

— Non, je vous en prie, supplia Grace, le souffle court.

Elle posa les mains sur sa poitrine pour le repousser, mais elle ne voulait pas l'écarter. Elle luttait au contraire contre l'envie de l'attirer à elle.

— Vous ressentez la même chose que moi, je le vois dans vos yeux.

— Je vous en prie…

Il la serra si fort contre lui que leurs lèvres se touchèrent presque.

— Vous voulez que je vous embrasse, dit-il d'un ton presque accusateur. Vous le voulez autant que moi.

— Ethan…

Et soudain, plus rien ne les sépara.

— Demande-moi d'arrêter, murmura-t-il contre sa bouche.

Grace ne dit rien. Elle ferma les yeux et attendit que l'inévitable se produise. Elle attendit que toute sa vie s'effondre en un seul instant. Mais rien ne se passa. Le soulagement — ou était-ce de la déception ? — fut si intense qu'elle sentit la tête lui tourner. Elle ouvrit les yeux et plongea son regard dans celui d'Ethan.

Une flamme semblait danser dans ses yeux, triomphante. Il laissa ses mains retomber et recula de quelques pas.

— Je t'avais prévenue que ça ne serait pas facile.

Il proféra ces mots plus sur le ton de la menace que de l'avertissement.

Allongée dans son lit, les yeux grands ouverts, Grace écoutait les bruits qui montaient de la rue. La chambre d'hôtel était éclairée par les enseignes lumineuses qui créaient sur les murs

162

et au plafond un jeu d'ombres et de lumières, faisant surgir des démons qui semblaient célébrer d'obscures victoires.

Un peu plus tôt elle avait tiré les rideaux, afin de pouvoir surveiller le balcon. De temps à autre la lumière d'un avion clignotait dans le ciel sombre… Entre les barreaux de la rambarde, elle distinguait les branches de pins qui se balançaient sous la brise. Elle aurait aimé ouvrir les baies vitrées, sentir l'air de la nuit sur sa peau, respirer l'odeur des feuillages. Mais elle ne dormait jamais avec les fenêtres ouvertes. Sa porte et ses fenêtres étaient toujours fermées à clé.

Les yeux ouverts sur l'obscurité elle songea à Ethan. Que faisait-il ce soir ? Sa maison était surveillée et équipée d'un système d'alarme que même un agent du FBI n'aurait pas pu neutraliser. Elle n'avait aucune raison de s'inquiéter. Et pourtant, elle était inquiète. Impossible d'ignorer le malaise qui la poursuivait depuis qu'elle avait quitté Ethan devant la chapelle cet après-midi.

Je ne suis pas cet homme, Grace.

Qu'avait-il voulu dire ? Était-ce le souhait d'un homme sans mémoire qui ne cessait d'apprendre sur lui-même des traits de caractère plus que déplaisants ?

Ethan Hunter était-il un saint dont l'auréole s'était ternie au fil des ans ? Ou bien un Dr Jekyll et Mr Hyde, un homme souffrant d'un terrible dédoublement de la personnalité ?

Grace frissonna dans les ténèbres en considérant toutes ces possibilités. Surtout, elle essayait d'oublier les paroles d'Ethan qui l'avaient le plus troublée.

Pourquoi ai-je l'impression de vous connaître mieux que celle qui prétend être ma femme ? Pourquoi ai-je l'impression de savoir quel goût auraient vos lèvres si je vous embrassais…

Elle inspira profondément, elle devait rester concentrée sur les objectifs de sa mission. Tout avait paru si simple quand elle avait mis le plan au point avec Myra. Venir à Houston. Mettre en place la surveillance et inventer une couverture pour Grace. Attendre que le Dr Ethan Hunter soit revenu du Mexique et trouver un prétexte pour l'approcher. Le convaincre de coopérer avec le Bureau afin d'obliger Trevor Reardon à sortir de sa cachette.

Mais tout était allé de travers. Ethan était revenu du Mexique avant la date prévue, si bien que le Bureau n'avait pas eu le temps d'installer sa base arrière. Puis Amy Cole était morte. Il avait fallu modifier les plans à la hâte. Et maintenant, tout reposait sur l'aptitude de Grace à continuer de mentir afin de rester au côté d'Ethan.

Mais que passerait-il une fois l'affaire terminée ? Ethan devrait répondre de ses propres crimes. Et l'indulgence de la justice à son égard serait proportionnelle à sa volonté de coopérer. Grace n'avait pensé qu'à la capture de Reardon. Mais maintenant elle se rendait compte qu'il lui serait très difficile de trahir un homme qui l'attirait autant.

L'espace d'un instant elle envisagea d'appeler Myra pour lui demander conseil. Mais ce problème dépassait sans doute les compétences de l'agent Temple. Elle ne pouvait imaginer que Myra puisse tomber amoureuse.

Elle non plus, d'ailleurs. Bien qu'elle fût attirée par Ethan, qu'elle se sentît rattachée à lui par un lien inexplicable, il n'était certainement pas question d'amour entre eux. Elle s'était promis très longtemps auparavant qu'elle ne serait plus jamais vulnérable. Or, l'amour rend très vulnérable. L'amour rend faible. Il vous fait oublier qui vous êtes et ce que vous devez faire.

Grace savait exactement qui elle était. Elle était la fille d'un agent fédéral assassiné, lancée à la poursuite d'un dangereux tueur. Une femme prête à tout pour éliminer celui qui avait détruit sa vie.

Il n'était pas question qu'Ethan Hunter se mette en travers de sa route. Elle se servirait de lui et le trahirait s'il le fallait.

Et à la fin, elle lui tournerait le dos et partirait sans un regard en arrière.

Grace parvint à s'endormir peu après 2 heures du matin. Mais ses rêves furent peuplés d'événements où se mêlèrent le passé et le présent. Elle vit Trevor Reardon qui lui souriait, mais avant qu'elle ait eu le temps de pointer une arme contre lui, le visage se transforma et celui d'Ethan apparut. Il souriait toujours. Il la narguait.

Toute la nuit elle flotta dans un monde de ténèbres, oscillant sans cesse entre le rêve et la réalité, incapable de contrôler les images qui tournoyaient dans sa tête.

Dans son rêve, le téléphone se mit à sonner. Elle se vit décrocher le récepteur et le coller à son oreille.

— Allô ?

Pas de réponse. Mais elle savait qu'il y avait quelqu'un à l'autre bout du fil. Elle attendit en retenant son souffle. Au fil des secondes, elle crut sentir son sang se glacer d'effroi.

— Qui est là ?

Silence.

Puis une voix grave, profonde, séduisante, lui murmura :

— J'ai bien aimé la robe que tu portais aujourd'hui, Grace. Le noir te va si bien.

C'était presque mot pour mot ce que lui avait déclaré Trevor Reardon quatorze ans auparavant, après la cérémonie funèbre de ses parents et de sa sœur. Grace étouffa un cri.

Quelque part tout au fond d'elle-même, elle savait que c'était un cauchemar. Mais elle ne parvenait pas à lui échapper. Elle fit un effort pour s'éveiller, mais des mains invisibles la repoussèrent impitoyablement dans le monde du sommeil.

Grace s'entendit demander :

— Où êtes-vous ?

La voix feutrée et sensuelle répondit :

— Je suis plus près que tu ne penses.

— Où cela ?

Il y eut un autre silence. Puis :

— Tu aimes toujours les perles à ce que je vois ?

Il y eut une nuance dans cette voix, quelque chose qui provoqua chez elle un éclair, une intuition. Grace lutta dans son sommeil, s'accrochant à cette révélation fugitive.

Elle avait entendu cette voix récemment. Mais… elle était différente, comme déformée. Elle n'avait pas reconnu Reardon parce qu'il avait déguisé sa voix.

Les vestiges du sommeil s'estompèrent lentement. Grace demeura, tremblante, sous les couvertures. Le rêve s'attardait dans sa mémoire. Elle avait si peur que la tête lui tournait et qu'elle ne parvenait pas à réfléchir. Elle envisagea un instant de se servir à boire pour se calmer les nerfs, mais elle savait que l'alcool ne l'aiderait pas. Il ne l'avait jamais aidée.

Quelle heure pouvait-il être ? Elle jeta un coup d'œil à la pendulette et dans la lueur de l'affichage digital, elle aperçut les minuscules boucles d'oreilles en perles qu'elle avait portées hier, pendant le service funèbre.

Grace s'obligea à se lever et alla se camper derrière la baie vitrée, contemplant l'obscurité. Une aurore grise se répandait sur la ville et elle vit une masse de nuages bas qui affluait de la côte. Le soleil encore caché derrière la ligne d'horizon teintait les toits d'un rose doré qui tournait peu à peu au mauve.

C'était l'heure étrange qui précédait le lever du soleil. Les objets étaient encore plongés dans l'ombre et la lumière du jour naissant n'avait pas balayé les terreurs de la nuit.

La première pensée de Grace fut qu'elle devait fuir. Faire sa valise et quitter cette ville au plus vite. Cette idée la surprit elle-même. Elle avait commencé à se préparer pour cette mission bien avant la deuxième évasion de Reardon. Elle avait passé des heures, des mois, des années, à imaginer leur ultime face-à-face. Pendant les séances d'entraînement à Quantico,

166

elle croyait voir son visage sur les silhouettes de carton qu'elle visait avec son arme. Elle s'était souvent demandé ce qu'elle éprouverait quand elle croiserait son regard, juste avant de lui loger une balle en plein cœur.

Le visage de Reardon avait changé. Cependant, Grace était certaine qu'elle le reconnaîtrait n'importe où. Elle s'était toujours dit que le mal devait irradier de son corps comme une aura noire et visqueuse. Mais aucune des personnes qu'elle avait rencontrées récemment n'avait éveillé de soupçons en elle. Elle avait même envisagé la possibilité que Reardon se trouvât à des milliers de kilomètres de là. Dans ce cas, c'était quelqu'un d'autre qui avait tué Amy et essayé de supprimer Ethan. Pilar, peut-être, ou Kendall. Ou même, comme le croyait la police, un inconnu qui voulait dérober de la drogue.

Mais à présent, les doutes de Grace étaient balayés. Elle était certaine d'avoir entendu la voix de Reardon ces derniers jours. Mais où ? Aux obsèques d'Amy Cole ? Elle avait parlé à de nombreuses personnes qu'elle ne connaissait pas. Des hommes et des femmes qui avaient dit être des amis de la jeune femme. L'un d'entre eux était-il Trevor Reardon ? L'avait-il approchée ? Touchée ?

Grace eut un frisson de répulsion. Reardon était parvenu à modifier suffisamment sa voix pour la tromper un moment. Mais cette voix avait quelque chose de spécial qui ne pouvait être altéré. Dans son sommeil, Grace avait retrouvé cette intonation très particulière.

Etait-il là, dehors, quelque part ? En train de l'observer à cet instant même ? La tenait-il dans la ligne de mire d'une arme puissante ? Riait-il de sa stupidité ?

Grace sentit son corps se contracter de terreur, mais elle s'obligea à rester derrière la vitre. Elle ne risquait rien pour le moment, Reardon ne tirerait pas sur elle. Pas à cette distance. Il aimait trop tuer en regardant sa victime de près. Infliger la mort représentait pour lui une expérience personnelle, intime. Une sorte de jouissance, dont il voulait profiter à l'extrême.

La prochaine fois qu'il tenterait de la tuer, ce serait pour le plaisir plus que par sentiment de vengeance.

9.

— *Buenos días*, dit Rosa en s'effaçant pour laisser entrer Grace.

— Bonjour, Rosa. Ethan est là ?

— Au premier étage, dans son bureau.

La gouvernante précéda Grace dans l'escalier et lui fit traverser le salon. Puis elle frappa doucement à la porte du bureau, l'entrouvrit légèrement et annonça que Grace venait d'arriver.

Assis à sa table de travail, Ethan étudiait un document de plusieurs pages. Il leva les yeux quand Grace entra.

Le regard d'Ethan était un peu trouble et ses joues ombrées de barbe. Grace se demanda s'il avait dormi la nuit précédente, ou si son sommeil, comme le sien, avait été hanté de cauchemars.

Comme Rosa demeurait plantée sur le seuil, il lui dit :

— Vous pouvez partir. Ne vous en faites pas pour moi, je me débrouillerai.

Les yeux noirs de Rosa passèrent d'Ethan à Grace, mais l'expression de la gouvernante n'était plus aussi désapprobatrice que la veille. Grace se dit qu'elle avait réussi à faire sa conquête. C'était cependant une bien triste victoire, appuyée sur le mensonge.

— *Adios,* dit Rosa. Je reviendrai dans quelques jours.

— Où va-t-elle ? demanda Grace quand elle eut disparu.

— Son petit-fils est malade et sa fille a besoin d'elle. Je lui ai donné plusieurs jours de congé. Il m'a semblé qu'étant donné les circonstances ce serait une bonne idée de l'éloigner quelque temps. En fait, j'ai aussi pensé à votre sécurité. Il faut que je vous parle.

Il semblait différent aujourd'hui. La première idée qui vint à l'esprit de Grace, ce fut qu'il avait recouvré la mémoire.

— A quel sujet ? s'enquit-elle.

— Je me suis rendu compte ce matin que je n'étais jamais allé chez vous. Je ne sais même pas où vous habitez.

Grace fronça les sourcils.

— Et alors ?

— L'endroit où vous vivez est-il sûr ? Avez-vous un système de sécurité ? Une entrée fermée à clé ? Un gardien qui surveille l'extérieur ?

Ethan se pencha soudain en avant et fixa sur elle ses yeux sombres.

— Si Reardon surveille vraiment mes faits et gestes comme vous semblez le croire, il est forcément au courant de notre association. Il sait que vous êtes la sœur d'Amy. Et il sait peut-être même où vous habitez.

Ethan avait visé juste. Après les rêves de la nuit précédente, Grace n'avait plus aucun doute : Trevor Reardon savait où la trouver.

— Nous n'y pouvons rien, dit-elle en éludant les questions d'Ethan. Mais croyez-moi, je prends toutes les précautions nécessaires. Vous n'avez pas besoin de vous en faire pour moi.

— Mais je suis inquiet.

Son regard se rembrunit et Grace sentit ses yeux se poser sur ses lèvres. Elle songea au baiser qu'ils avaient échangé.

— Quel genre de précautions prenez-vous ? Vous avez une arme ?

170

Elle s'efforça de soutenir son regard sans sourciller. Si elle détournait les yeux, il comprendrait que sa question la mettait mal à l'aise.

— Pourquoi me posez-vous cette question ?

— C'est logique, répliqua-t-il avec un haussement d'épaules. Comment voulez-vous capturer Reardon si vous n'avez pas d'arme ?

Grace eut un temps d'hésitation, puis avoua :

— Bon, d'accord. J'ai une arme. Et je sais m'en servir. J'ai également pris des cours d'autodéfense.

Elle ajouta cette précision sans vraiment savoir pourquoi. Sans doute pour qu'il comprenne qu'elle saurait se défendre le cas échéant contre Reardon ou n'importe qui d'autre.

— Je ne sais pas pourquoi, mais il me semble qu'il faudra plus qu'une prise de karaté pour neutraliser un terroriste de son envergure, répliqua sèchement Ethan.

Grace s'autorisa un petit sourire en coin.

— C'est pour cette raison que je possède une arme.

Leurs regards se croisèrent et elle vit luire dans ses yeux bruns quelque chose qui ressemblait à de l'admiration.

— Je pense quand même que nous serions tous les deux plus en sécurité si vous emménagiez ici, avec moi. La maison est équipée d'un système de sécurité de première classe. D'autre part, comme vous le disiez l'autre jour, nous nous protégerions mutuellement.

Grace n'aurait su dire pourquoi cette proposition la surprenait autant. Le premier soir, quand elle avait suggéré cette solution, Ethan avait été très clair : il n'était pas décidé du tout à l'inviter chez lui. A présent il se comportait comme si l'idée venait de lui et qu'elle était parfaitement logique.

Grace savait qu'elle aurait dû sauter sur cette occasion. Sa fonction principale dans cette mission, c'était de s'éloigner d'Ethan le moins possible. De façon à être présente quand Reardon chercherait à le tuer. Mais maintenant, elle se demandait si cette idée était vraiment judicieuse. Parviendrait-elle à rester vigilante, concentrée sur sa mission ? Ou bien son attirance pour Ethan la pousserait-elle à commettre des erreurs ? A être imprudente ?

A cette pensée, un frisson lui parcourut le corps.

— Qu'avez-vous ? s'enquit Ethan. Vous savez aussi bien que moi qu'il vaut mieux que nous restions ensemble.

— Oui, je sais, mais…

— Mais quoi ? interrogea-t-il en rivant sur elle un regard pénétrant. Avez-vous peur de venir vous installer ici ? Avez-vous peur de moi ?

— Bien sûr que non ! répondit-elle un peu trop vivement. Je n'ai pas peur de vous.

— De qui avez-vous peur, alors ? De Reardon ? De vous-même, peut-être ?

Cette dernière suggestion piqua au vif l'amour-propre de Grace.

— Contrairement à ce que vous croyez, je n'ai pas la moindre inquiétude à rester sous le même toit que vous.

Une lueur d'amusement traversa le regard d'Ethan.

— Alors, quel est le problème ?

— Eh bien, les convenances. Que diront vos voisins si je viens habiter ici ? Vous êtes encore marié, Ethan.

— Plus maintenant, répliqua-t-il, en prenant le document qu'il avait posé sur son bureau. Ce dossier a été apporté par courrier spécial ce matin. C'est un décret de divorce.

Il y eut un subtil changement de ton dans sa voix quand il déclara :

— A partir d'aujourd'hui je suis un homme libre, Grace.

Celle-ci prit le document qu'il lui tendait et parcourut la première page.

172

— Je ne sais pas si je dois vous féliciter ou vous présenter mes condoléances, dit-elle avec une fausse légèreté.

Ethan haussa un sourcil et dit simplement :

— Vous avez pourtant rencontré Pilar.

Grace ne répondit pas. Il se renfonça dans son fauteuil et laissa son regard errer dans le vague.

— C'est bizarre de recevoir la preuve que mon mariage est terminé, alors que je n'en garde aucun souvenir. Mais je suppose que cela explique pourquoi Pilar tenait tant à récupérer l'argent du coffre. Cela ajoutera un petit extra à sa pension.

Grace lui rendit le dossier et demanda :

— Vous avez eu de ses nouvelles ?

— Non, et je ne pense pas en avoir. A moins que je ne la voie ce soir.

— Ce soir ?

Il marqua une pause avant d'expliquer :

— Une femme m'a appelé ce matin. Elle m'a dit que son nom était Alina Torres. Elle a parlé pendant cinq bonnes minutes avant que je ne finisse par comprendre qu'elle était la secrétaire de…

Il s'interrompit et se corrigea d'un ton sec :

— *Ma* secrétaire.

— Qu'avait-elle à vous dire ?

— Elle m'a rappelé que je devais assister à un gala de charité ce soir à l'hôtel Huntington. Les bénéfices seront directement versés à l'association qui collecte des fonds pour la construction d'une aile supplémentaire destinée aux enfants à l'hôpital Sainte-Mary. D'après Alina, j'avais refusé l'invitation car je n'aurais pas dû être de retour du Mexique à cette date. Mais puisque je suis là, elle pense que ce serait une bonne idée de m'y rendre. Apparemment, je devrais recevoir une décoration.

— Vous voulez vraiment y aller ? demanda Grace dont le visage s'était assombri.

— Pas spécialement. Mais j'ai repensé à ce que vous disiez l'autre jour. Le meilleur moyen de faire sortir Reardon ou… le tueur, quel qu'il soit, de l'ombre, c'est de vaquer normalement à mes occupations. Le gala de ce soir est annoncé dans le journal. Si Reardon garde un œil sur mes allées et venues, il saura forcément que je dois assister à cette soirée.

Tout en parlant, Ethan passa à Grace un journal plié en deux. Elle lut le titre de l'article :

« Un gala organisé ce soir afin de saluer le travail du
Dr Hunter auprès des enfants défavorisés »

Ethan avait raison. Un événement comme celui-ci était susceptible de stimuler l'imagination macabre de Reardon. Toutefois, Grace ne put s'empêcher de mettre Ethan en garde.

— Cela pourrait être dangereux. Reardon n'aura aucun mal à se glisser dans la foule des invités sans qu'on le remarque, surtout que nous ne savons plus à quoi il ressemble.

— N'était-ce pas là justement votre idée ? Je suis censé lui servir de cible, non ?

Oui. Et la fin justifie les moyens.

Grace essaya de se convaincre elle-même, mais sans succès. Elle voulait dissuader Ethan de se rendre à ce gala. Le convaincre de rester à l'abri dans sa forteresse.

A l'extérieur, il devenait un appât pour Reardon. Et Grace n'était pas sûre de pouvoir le protéger. Elle n'était même pas sûre de pouvoir se protéger elle-même.

Elle prit une longue inspiration et demanda :

— Croyez-vous pouvoir me procurer une invitation ?

— J'ai devancé votre demande. Alina doit me faire parvenir un carton d'invitation pour vous aujourd'hui même. Mais vous ne serez pas assise sur le podium avec moi.

— Ça ne fait rien. Il vaut mieux que je reste au fond de la salle pour avoir une vue d'ensemble.

Ethan l'observa un moment, puis posa les yeux sur le sac qu'elle tenait sur ses genoux.

— Je suppose que vous serez armée ?

Elle acquiesça d'un hochement de tête.

— Vu les circonstances, je ne sors pas sans mon arme.

Leurs regards se soutinrent pendant une seconde ou deux. Mais Grace eut la sensation que cet instant durait une éternité. Elle eut l'impression fugitive que les yeux d'Ethan lui renvoyaient exactement ce qu'exprimaient les siens. L'excitation. L'anticipation. Un frisson d'électricité à la perspective de se mettre en chasse.

Tout à coup, ils furent comme deux âmes sœurs s'embarquant ensemble pour un voyage périlleux. Un voyage plein de mystère, de danger et de passion.

Ethan enveloppa Grace d'un regard admiratif. La tenue qu'elle avait choisie lui plaisait. Un fourreau de soie bleu nuit strié de filets d'argent qui scintillaient sous la lumière. Un peigne en strass retenait ses cheveux, donnant à sa coiffure simple une allure un peu plus sophistiquée. Elle avait maquillé ses lèvres d'un rouge vif et sensuel.

Elle n'avait jamais été aussi belle qu'à la lueur des chandelles. Leur lumière douce et vacillante rehaussait la régularité de ses traits, approfondissait le bleu de ses yeux et jetait dans sa chevelure des reflets de feu.

Ils se tenaient dans la somptueuse salle de bal du Huntington Hotel et leurs silhouettes étaient reflétées à l'infini par les douzaines de miroirs qui se succédaient le long des murs. Les chandeliers d'argent disposés sur les tables répandaient sur la salle une lumière blanche et douce. Partout, on entendait fuser des rires et tinter les flûtes de champagne. Les tables étaient couvertes de nappes blanches, de vaisselle en porcelaine, de verres de cristal.

Elle croisa brièvement son regard et se détourna aussitôt, mais il eut le temps de voir le désir dans ses yeux, dans la façon dont ses lèvres rubis s'entrouvrirent. Depuis l'instant où ils s'étaient retrouvés chez lui, un moment avant de se rendre à la réception, les étincelles n'avaient cessé de jaillir entre eux.

Le regard d'Ethan se posa sur la peau blanche de sa gorge, puis plus bas, sur les rondeurs sensuelles mises en valeur par l'étoffe soyeuse de sa robe. Sur une brusque impulsion, il se pencha et lui murmura à l'oreille :

— Si vous avez réussi à cacher une arme sous cette robe, c'est que vous avez une imagination diabolique.

Il la vit sourire et il se rendit compte, avec un léger choc, que c'était la première fois. Elle avait toujours une expression si grave, si intense.

Grace lui brandit son sac de soirée pailleté sous le nez.

— Ne vous inquiétez pas, dit-elle. J'ai pris mes précautions.

Il l'admira encore, en se demandant s'il avait déjà été aussi sensible au charme d'une femme.

Ne fais pas cela, ne t'engage pas si tu n'es pas sûr de pouvoir aller jusqu'au bout de l'aventure. Tu ne sais même pas qui tu es.

Le smoking qu'il avait déniché dans le placard était à sa taille. Mais il ne lui allait pas aussi parfaitement qu'on aurait pu s'y attendre. Comme tous les autres vêtements qu'il avait trouvés dans sa chambre, d'ailleurs. Rien dans la vie d'Ethan Hunter ne lui convenait vraiment. A l'exception peut-être des sentiments qu'il éprouvait pour Grace.

Il avait tout de suite deviné que celle-ci avait quelque chose de spécial, de mystérieux. Ce qu'il éprouvait ne se limitait pas à une simple attirance physique. Ils étaient comme reliés l'un à l'autre. Mais il ne savait ni pourquoi ni comment.

Il lui toucha le bras et la sentit se tendre à son contact.

— Voulez-vous une coupe de champagne ?

Le regard de Grace s'arrêta sur le plateau que portait un serveur.

— Peut-être plus tard, dit-elle. Je veux garder les idées claires.

Autour d'eux, les invités commençaient à gagner leurs sièges. Grace désigna le podium dressé à une extrémité de la salle.

— Je crois qu'on vous attend.

— Souhaitez-moi bonne chance.

Pendant une fraction de seconde il fut tenté de se pencher pour l'embrasser. Mais il y renonça. Cependant, alors qu'il s'apprêtait à s'éloigner, Grace lui prit le bras et plongea le regard dans le sien.

— Vous n'êtes pas obligé d'y aller. Nous pouvons trouver un autre moyen d'attirer Reardon.

— Je croyais pourtant que vous étiez décidée, Grace.

A la lumière des chandeliers, ses yeux étaient très bleus et mystérieux. Ethan n'aurait su dire quelles émotions flottaient à la surface de ces pupilles. Il y avait tant de possibilités que cela le rendit nerveux.

— Soyez prudent, murmura-t-elle avant de lui tourner le dos pour gagner sa place.

Grace prit place à une table au fond de la salle, parmi un groupe de médecins. Elle écouta distraitement leur conversation, tout en scrutant la foule. Elle ne cherchait pas seulement à repérer Reardon, mais aussi les agents que Myra avait placés à l'hôtel ce soir.

Myra Temple elle-même était dans la salle, vêtue d'une magnifique robe noire à sequins qui allait probablement coûter

177

une attaque cardiaque à Vince Connelly, leur chef de section de Washington, quand il inspecterait sa note de frais.

Tandis que ses yeux erraient à la recherche de figures familières, son attention fut attirée par un couple vers qui se tournaient tous les regards. Accrochée au bras de Bob Kendall, Pilar faisait dans la salle une entrée spectaculaire. Elle portait une robe de soirée rouge au décolleté vertigineux et chaque homme présent se tourna pour admirer l'ex-femme d'Ethan.

Le voisin de Grace marmonna quelques mots dont elle ne saisit pas le sens. Il s'était présenté un peu plus tôt en lui expliquant qu'il était directeur d'un hôpital local. Elle se tourna vers lui et demanda :

— Qu'avez-vous dit ? Excusez-moi, je n'ai pas entendu.

Il avala une gorgée de champagne en haussant les épaules.

— Pilar Hunter et Robert Kendall sont les deux dernières personnes que je m'attendais à voir assister à une soirée donnée en l'honneur de Hunter.

— Vous les connaissez ? s'enquit Grace d'un air détaché.

— Seulement de réputation. Les rumeurs, vous savez.

— Les rumeurs ?

— Kendall a été l'associé de Hunter autrefois. Ils ont ouvert un cabinet ensemble après avoir terminé leur internat. Mais très rapidement Ethan est devenu une sorte de célébrité. Il a décidé qu'il n'avait plus besoin d'associé. Jusque-là, Kendall s'était contenté de travailler dans l'ombre et de laisser la gloire à son partenaire. Mais quand il fut obligé de faire cavalier seul, il s'aperçut que la plupart de ses patients n'étaient pas tentés de le suivre et lui préféraient son confrère. Il a frôlé la ruine. Il lui a fallu très longtemps avant de remonter la pente et de retrouver la notoriété et l'aisance matérielle.

Grace écouta ce récit avec un grand intérêt.

— N'est-il pas étrange qu'il ait une relation avec Pilar ?

L'homme eut un sourire entendu.

— D'après moi, c'est un prix de consolation. Il aurait pu tomber plus mal, avouez.

Depuis sa place sur le podium, Ethan observa la foule. Combien de ses ennemis avaient cru bon de l'honorer de leur présence, ce soir ? Ou plutôt, combien d'ennemis d'Ethan Hunter ?

Que diraient tous ces gens s'il se levait tout à coup et déclarait qu'il n'était pas l'homme qu'ils croyaient ? Qu'il ne savait même pas qui il était en réalité ?

Et même à supposer qu'il soit bien Ethan Hunter, il n'en était pas moins un usurpateur. Un médecin qui sous couvert de bonnes actions n'hésitait pas à accepter de l'argent sale en échange de services qu'il rendait à des criminels. Un homme prêt à prendre tous les risques par cupidité.

Ethan laissa son regard s'arrêter sur Grace. Elle était assise dans le fond de la salle, mais il voyait distinctement son visage, éclairé par le chandelier posé sur la table. Elle parlait avec son voisin de droite. Ethan sentit soudain un désir terrible monter en lui. Il voulait être cet homme, assis à la droite de la jeune femme. Il voulait passer son bras sur le dossier de sa chaise, se pencher vers elle et lui parler à voix basse. Lui dire des mots que personne n'entendrait.

Il voulait lui murmurer des paroles qu'il n'avait encore jamais prononcées pour une autre.

Mais comment être sûr qu'il n'avait jamais dit ces mots ? Comment savoir combien de femmes il avait connues avant elle ? Et combien il avait prétendu aimer ?

Il n'avait pas le droit d'avoir ces sentiments pour elle. Car s'il était effectivement Ethan Hunter, il ne voulait pas l'entraîner dans sa chute et sa déchéance morale. Et s'il était quelqu'un d'autre, poursuivi dans la jungle par les autorités mexicaines…

Il mit un terme à ses pensées. Il ne désirait nullement s'attarder sur les mystères enfouis quelque part au fond de sa mémoire. Il ne voulait pas se demander pourquoi, puisqu'il n'était pas Ethan Hunter, il se retrouvait avec le même visage.

Quelle que soit son identité, Grace Donovan restait hors de sa portée, songea-t-il, lugubre. Bien qu'il sache qu'elle lui cachait quelque chose dans cette affaire. Un peu plus tôt, quand il l'avait quittée pour prendre place sur le podium, il s'était retourné et l'avait vue parler avec une femme vêtue d'une robe noire. Leur conversation avait été des plus brève et apparemment anodine. Deux femmes se heurtant de l'épaule et s'arrêtant quelques secondes pour s'excuser et peut-être se complimenter réciproquement sur leur robe.

Mais Ethan avait eu l'impression qu'il se passait autre chose. Un malaise l'avait envahi alors qu'il observait les deux femmes. La plus âgée avait alors levé la tête et croisé son regard. Elle avait eu un petit sourire, avant de dire quelque chose à Grace. Elles s'étaient séparées et Grace n'avait pas regardé derrière elle tandis qu'elle traversait la salle. Mais Ethan était certain que la femme aux cheveux noirs lui avait dit quelque chose à son sujet et qu'elle savait qu'il la contemplait.

A présent, tandis qu'elle parlait à son voisin, Grace semblait toujours aussi décidée à éviter le regard d'Ethan. Ce dernier ne la quitta pourtant pas des yeux pendant toute la durée du dîner. Soudain, il tressaillit en entendant son nom. Il leva la tête et s'aperçut qu'un homme avait saisi le micro posé sur le devant du podium. L'homme annonça qu'il était le Dr Frank Melburne, puis il se mit en devoir de présenter chaque personne présente sur le podium.

Ethan n'essaya pas de mémoriser tous les noms qu'il cita. Il ne cessait de scruter la foule, cherchant parmi l'assistance le visage d'un tueur.

Melburne parla pendant quelques minutes, s'attardant longuement sur le travail que le Dr Ethan Hunter accomplissait auprès des enfants défavorisés, aussi bien à Houston qu'au Mexique, et incitant leurs confrères à suivre son exemple. Il montra la décoration qui devait lui être remise et conclut son discours en annonçant :

— Et maintenant, j'aimerais vous présenter notre héros du jour. Ethan ?

Ethan se leva et s'avança vers le micro. Il se doutait qu'on lui demanderait de prononcer quelques mots ce soir, mais il n'avait pas préparé de discours. Que diable allait-il dire à tous ces gens ? Il ne se rappelait aucune de ses actions passées, bonnes ou mauvaises. Il ne savait même pas qui il était. Tout ce dont il était sûr, c'était qu'il était traqué par un tueur.

Il se tint un moment sur le podium, balayant l'assistance du regard.

Je suis là, Reardon. Et toi, où diable te caches-tu ?

— Je suis très honoré de me trouver parmi vous ce soir, dit-il finalement à haute voix.

Son regard se posa pendant une fraction de seconde sur le visage de Grace et il ajouta :

— Mais si je vous disais que je ne suis pas l'homme que vous croyez ?

A quoi joue-t-il ?

Grace se sentit envahie par un léger malaise. Et tout à coup, elle sut que si Reardon devait se manifester ce soir, il choisirait ce moment-là. Ethan offrait une cible idéale et rien ne réjouirait plus Reardon que d'avoir des spectateurs. Elle se tendit, fouillant la salle du regard tout en actionnant du bout des doigts l'ouverture métallique de son sac de soirée.

Debout devant le micro, Ethan continuait de parler.

— Je ne suis pas l'homme que vous croyez, car je ne mérite pas cette récompense. Je suis sûr que nombre de mes confrères présents dans la salle sont plus méritants que moi.

— Tiens donc ! grommela le voisin de Grace. L'humilité n'est pourtant pas la première qualité d'Ethan Hunter.

Grace ignora ce commentaire et se concentra sur les mouvements de l'assistance, guettant un geste inattendu ou quelqu'un dont l'attitude aurait été suspecte. Un bruit au centre de la salle capta son attention, mais pendant un long moment elle ne put voir ce qui se passait. Puis Pilar se dressa, sa robe rouge scintillant comme du feu sous les lumières, et leva sa coupe de champagne pour porter un toast.

— La fausse modestie ne te convient pas, Ethan !

Sa voix claire et mélodieuse résonna dans toute la salle.

— Pourquoi ne dis-tu pas plutôt à tous ces gens ce que tu penses d'eux en réalité ? Ce que tu m'as répété des douzaines de fois, quand nous étions mariés ? Il n'y a pas un homme ou une femme dans cette salle…

Tout en parlant, elle balaya la salle d'un grand geste du bras, renversant son champagne sur la table.

— Pas un seul qui soit un chirurgien aussi doué que toi. Comment les appelais-tu, déjà ? Ah oui, des bouchers. Mais toi tu es différent, n'est-ce pas, Ethan ? Tu es un génie. Tu peux transformer une simple mortelle en déesse. J'en suis la preuve, n'est-ce pas ?

Elle se tenait debout, les bras écartés, comme pour inciter le monde entier à révérer sa beauté, à l'adorer. Visiblement elle n'avait pas d'arme sur elle, mais Grace ouvrit tout de même son sac et sa main se referma sur son pistolet.

Finalement, Pilar baissa lentement les bras.

— Mais que fais-tu, reprit-elle, une fois que tu as créé la perfection ? Que te reste-t-il à faire, sinon à la détruire ?

Un silence presque insoutenable s'abattit sur l'assistance. Grace elle-même ne parvenait pas à détacher son regard de la jeune femme. Il y avait dans son attitude quelque chose de presque pathétique.

Du coin de l'œil, elle surveilla Ethan, toujours debout devant le micro. Il ne fit pas mine de quitter le podium, ne prononça pas un mot pour demander à son ex-épouse de se taire. Comme tous les autres spectateurs, il gardait les yeux rivés sur elle, en silence.

Un homme vêtu d'un costume sombre, que Grace identifia immédiatement comme étant un des agents de Myra, se dirigea vers Pilar. Mais avant qu'il soit parvenu à sa hauteur, Bob Kendall bondit sur ses pieds et saisit le bras de sa compagne. L'espace d'un instant on put croire qu'ils allaient se battre. Puis Kendall lui murmura à l'oreille quelques mots que personne n'entendit. Pilar résista une seconde, puis sembla s'effondrer, sans force, contre Kendall. Celui-ci lui passa un bras autour de la taille et l'entraîna hors de la salle.

Grace demeura debout, attendant que le flot d'adrénaline qui courait dans ses veines ait disparu. Elle vit que Myra était dans le fond de la salle, près d'une porte, et parlait avec Joe Huddleston, un agent que Grace connaissait depuis son stage à Quantico. Huddleston tourna le dos à Myra et emboîta le pas à Kendall et Pilar. L'agent qui s'était dirigé vers Pilar un instant auparavant se fondit tranquillement dans la foule et disparut.

Alors, une vraie cacophonie éclata dans la salle. Il y eut des toux, des murmures et même des exclamations. Ethan ne quitta pas son poste devant le micro. Au bout de quelques instants, il déclara d'un ton égal :

— Maintenant que mon fan-club est sorti, nous pouvons revenir à notre affaire.

Il y eut un silence éberlué. Puis quelques rires nerveux fusèrent çà et là, s'amplifièrent. Quand le calme fut revenu, la tension s'était quelque peu dissipée. Avec un haussement d'épaules nonchalant, Ethan déclara :

— Quoi que je dise maintenant, je raterai mon effet. Laissez-moi simplement conclure en vous remerciant et en répétant que je ne suis pas digne de l'honneur que vous me faites ce soir.

Le Dr Melburne, qui se tenait à quelques pas derrière Ethan, s'avança pour lui offrir la médaille et lui serrer la main. Après quoi il s'empressa de regagner sa place à l'arrière, comme s'il craignait de lui voler la vedette.

Ethan se tourna pour lui dire quelques mots et se baissa brusquement pour ramasser un papier qui venait de lui échapper des mains. L'espace d'une seconde, Melburne demeura immobile, le visage éclairé par les projecteurs. Tout le monde vit nettement l'expression de choc qui s'inscrivit sur ses traits lorsqu'il porta la main à sa poitrine.

Quand il retira sa main, Grace s'aperçut que ses doigts étaient ensanglantés. Une marque écarlate se répandit sur sa chemise blanche alors même qu'il s'effondrait sur la scène.

10.

Quand il vit Melburne tomber, Ethan se baissa instinctivement et prit le revolver caché sous sa veste. Il essaya en vain de localiser Grace, dans la salle où venait d'exploser un vacarme infernal. Les gens hurlaient et se bousculaient en tentant d'atteindre les portes de sortie.

Son revolver en main, Ethan s'agenouilla auprès de Melburne et écarta les pans de sa veste. Le plastron de sa chemise était d'un rouge écarlate et du sang s'échappait en gargouillant de sa bouche. Ethan jeta un coup d'œil au groupe de médecins assis, ahuris, sur l'estrade. Ils paraissaient tous incapables d'esquisser un seul geste.

— Il faut aider cet homme ! hurla Ethan. Vite !

L'ordre les fit sortir de leur torpeur. Deux des médecins gagnèrent en rampant l'endroit où Melburne était allongé et commencèrent à s'occuper de lui. Ethan vit l'un d'entre eux sortir son téléphone cellulaire pour appeler des secours.

Après avoir jeté un dernier regard à l'homme gisant sans vie sur l'estrade, Ethan sauta dans la salle où régnaient la panique et la plus totale confusion. Il ne voyait toujours pas Grace dans la foule, mais il savait qu'il devait absolument la trouver avant Reardon. Elle courait un aussi grand danger que lui.

A l'instant où Grace vit le sang sur la chemise de Melburne, elle sortit son arme. Une des femmes assises à sa table poussa un hurlement et son voisin de droite la considéra avec stupeur.

— Que diable…

— Je suis agent fédéral, dit-elle. Couchez-vous tous à terre et ne bougez plus.

Personne ne songea à mettre sa parole en doute ni à discuter son ordre. Les invités se jetèrent sur le sol et rampèrent sous la table.

Grace regarda autour d'elle. Dans une panique indescriptible, les dîneurs tentaient de fuir la salle ou de se cacher sous les tables qui n'avaient pas été renversées dans la bousculade. Impossible de localiser Myra, Huddleston ou les autres agents. Elle vit Ethan sauter du podium et atterrir au milieu de l'assistance terrifiée.

Que diable comptait-il faire ? Il aurait dû essayer de se mettre à l'abri. La balle qu'avait reçue Melburne lui était destinée. S'il ne s'était pas penché à ce moment précis pour ramasser un papier…

Grace frémit à cette idée. Revolver au poing, elle fendit la foule pour se rapprocher du podium. La plupart des gens étaient maintenant massés à l'arrière, près des portes de sortie. La jeune femme se glissa sur un côté de la salle, rasant le mur orné de dorures et cherchant Ethan des yeux.

A sa droite, elle repéra une porte habilement dissimulée entre deux miroirs. Ce ne fut que lorsqu'elle eut le panneau sous les yeux, qu'elle se rendit compte que les sculptures cachaient des charnières. Elle poussa prudemment le battant et découvrit un long corridor. Il s'agissait visiblement d'un couloir de service qui menait aux cuisines.

Tout au bout du corridor, un homme vêtu d'un uniforme blanc de serveur était blotti contre un mur, les mains crispées sur un plateau chargé de vaisselle sale.

— J'appartiens au FBI, dit Grace en se dirigeant vers lui. Ne bougez pas.

L'homme semblait être en état de choc. Il marmonna quelque chose qu'elle ne comprit pas. Comme elle s'approchait de lui elle vit qu'il était d'âge moyen et de type hispanique. Il avait le teint brun, des yeux noirs et perçants. Une fine moustache noire soulignait la ligne de sa bouche et il portait un minuscule anneau d'or à l'oreille gauche.

Ses yeux étaient élargis de frayeur et ses mains tremblaient tant que les verres en cristal s'entrechoquaient sur le plateau avec un léger tintement.

— Ne tirez pas, *por favor,* s'exclama-t-il d'un ton suppliant en fixant le revolver que Grace pointait devant elle.

Grace fit un pas dans sa direction et ordonna :

— Restez calme. Vous parlez anglais ?

— *Si. Un poquito.*

— Vous êtes seul ? Vous n'avez pas vu quelqu'un traverser ce corridor ?

Levant les yeux sur la jeune femme il hocha la tête en un signe affirmatif.

— *¿ Dónde ?* Où ?

Il montra du doigt le couloir qui partait derrière elle. Grace lança un coup d'œil par-dessus son épaule.

Elle sentit, sans vraiment le voir, le mouvement que l'homme fit dans sa direction. Elle se retourna vivement, mais au même instant il lui projeta de toutes ses forces son plateau dans l'estomac. La respiration coupée, Grace trébucha en arrière, se heurta au mur et glissa sur le sol. L'homme prit ses jambes à son cou. Juste avant de tourner dans un autre couloir, il jeta un regard en arrière. En l'espace d'une fraction de seconde Grace remarqua l'expression de son visage. Comme s'il venait de reconnaître quelqu'un ou quelque chose.

— Arrêtez ! cria-t-elle.

Son revolver lui avait échappé des mains au moment où elle était tombée. Elle rampa pour l'attraper mais il était trop tard. L'homme avait disparu.

Tout en luttant pour recouvrer son souffle elle se dressa et se mit à courir derrière lui. L'adrénaline qui coulait à flots dans ses veines la stimula. Bien que la tête lui tournât dangereusement, elle n'eut pas une seconde d'hésitation et elle se mit à le poursuivre.

Pourquoi l'homme s'était-il sauvé ?

Peut-être s'agissait-il d'un étranger en situation illégale qui craignait d'être expulsé. Mais, pourquoi avait-elle vu une lueur dans ses yeux, comme s'il venait de reconnaître quelqu'un ?

Le service de sécurité de l'hôtel finit par faire irruption dans la salle de réception. Le Houston Police Department n'allait pas tarder à arriver. Ethan décida qu'il valait mieux ne pas être vu avec un revolver chargé dans les mains. Il accrocha l'arme à sa ceinture tout en continuant de chercher Grace dans la foule. Où diable était-elle passée ?

Du coin de l'œil, il aperçut tout à coup un drapé de soie bleu nuit, mais quand il se tourna il ne vit que son propre reflet dans un des miroirs qui ornaient les parois de la salle. Soudain, un des panneaux entre les miroirs bougea et pivota. Il comprit que c'était une porte que quelqu'un venait de franchir. D'un pas vif, il traversa la salle.

Il eut l'impression qu'il ne parviendrait jamais à fendre la foule hystérique. Mais finalement, au bout de ce qui lui parut une éternité, il atteignit l'extrémité de la salle et repéra le panneau dans lequel la porte était dissimulée. Il ouvrit et jeta prudemment un coup d'œil derrière le battant. Des débris de cristal et de porcelaine jonchaient le sol, à côté d'un plateau abandonné.

Ethan allait refermer la porte, quand tout à coup il remarqua quelque chose sur le sol. Une boucle d'oreille scintillait au milieu des morceaux de verre. Il reconnut une des boucles que Grace portait ce soir.

Il reprit son revolver en main et demeura un moment immobile, l'oreille aux aguets. Puis il s'engagea dans le corridor. Tout au bout du couloir, il entendit une porte claquer.

Grace poussa une porte battante et pénétra dans une pièce mal éclairée où régnait une forte odeur d'humidité.

L'endroit était sinistre et silencieux. Des sacs destinés à recevoir le linge sale étaient suspendus sur un étendoir et Grace guetta un balancement éventuel des sacs de toile, signalant la présence de quelqu'un.

Rien ne bougea. Elle ne perçut pas le moindre bruit.

Aussi silencieusement qu'elle le put, elle ôta ses escarpins. Puis, les pieds couverts uniquement de ses bas, elle traversa les rangées de sacs entre lesquelles Reardon se cachait peut-être.

Alors qu'elle parvenait au bout d'une rangée, elle sentit ses cheveux se hérisser sur sa nuque. Un souffle d'air lui effleura la peau, comme si quelqu'un venait de se déplacer derrière elle.

Le cœur battant la chamade, elle pivota sur ses talons.

Pendant un long moment, ils demeurèrent immobiles, face à face. Aucun d'eux ne baissa son arme. Le regard de Grace se posa sur le revolver qu'il tenait à la main et elle haussa un sourcil, presque imperceptiblement. Puis elle posa un doigt sur ses lèvres pour demander à Ethan de garder le silence. Elle lui fit signe de contourner la salle par le côté droit, tandis qu'elle partait sur la gauche.

Il hésita. Quelque chose lui disait qu'il n'avait pas l'habitude de suivre des ordres. Généralement, c'était à lui que revenait le contrôle de ce genre de situation. Mais en l'occurrence la tactique de Grace était logique, il n'y avait rien à redire. Se séparer. Faire le tour de la pièce. Obliger l'adversaire à se montrer.

Ethan s'avança entre les rangées de paniers débordant de linge. Les cachettes étaient nombreuses et ils allaient sans doute avoir du mal à débusquer leur proie. Mais alors même que cette pensée lui effleurait l'esprit, Ethan repéra une tache noire se détachant sur le blanc des draps entassés.

Il approcha prudemment. C'était la manche d'un costume de soirée. Une tache pourpre se répandait lentement sur les draps qui dissimulaient partiellement un corps vêtu d'un smoking.

Sans un mot à sa compagne, Ethan écarta les draps. Il ne connaissait pas l'homme qui venait d'être tué. De toute évidence, Grace et lui n'étaient pas les seuls à pourchasser Reardon.

Il se demanda qui était la nouvelle victime du tueur, mais il ne prit pas le temps de fouiller les poches de l'inconnu, dont le cou avait été transpercé de part en part par une balle.

Il fallait avertir Grace.

Il sembla à Grace que les battements de son cœur faisaient un bruit assourdissant. Elle se demanda si Reardon pouvait les entendre. S'il se réjouissait de la terreur qu'elle éprouvait.

Il régnait dans la lingerie une chaleur humide et suffocante. La jeune femme avait du mal à respirer. Des gouttes de sueur coulaient sur son visage, mais elle ne prit pas la peine de les essuyer. Elle ne pouvait se permettre de relâcher son attention, fût-ce une seconde.

Un bruit lui parvint enfin de l'autre extrémité de la pièce, c'est-à-dire à l'opposé de la porte par laquelle elle était entrée. Tout d'abord, elle pensa que ce devait être Ethan. Elle se figea, écouta et identifia alors le craquement d'un monte-charge qui descendait le long d'un câble.

190

Grace se précipita vers l'endroit d'où provenait le bruit, sans même essayer de dissimuler ses mouvements. Si Reardon parvenait à se glisser dans le monte-charge…

Elle se fraya un chemin entre les sacs de linge suspendus et parvint au bout de la rangée au moment où les deux lourdes portes métalliques du monte-charge se refermaient. Elle se précipita et pressa le bouton d'appel du plat de la main, si fort qu'une vive douleur se répandit dans son bras. Mais son geste était vain. Le monte-charge commença son ascension.

Ethan émergea d'entre les sacs et vit Grace, en proie à une terrible frustration, tambouriner contre les portes du monte-charge. En l'entendant approcher, elle fit volte-face et lui lança un regard désespéré.

— L'escalier, dit-elle d'une voix rauque. Venez. Il faut le rattraper.

Sans attendre de réponse, elle lui tourna le dos et retraversa la salle en courant. Parvenue dans le corridor, elle poussa une porte et s'engouffra dans l'escalier de service.

Ethan se demanda pourquoi il n'essayait pas de la raisonner, de la dissuader de poursuivre un tueur impitoyable. Elle s'exposait délibérément au danger, mais Ethan n'eut même pas l'idée de la retenir. Elle était trop déterminée. D'autre part, elle avait une arme. S'il essayait de l'arrêter, elle s'en servirait peut-être contre lui.

Il la rattrapa dans l'escalier et la dépassa. Cela n'allait pas lui plaire, songea-t-il fugitivement. Mais après tout il était un homme et possédait un instinct protecteur qui le poussait à passer devant pour essuyer le premier le feu de l'ennemi. S'il ne parvenait pas à arrêter Reardon dans sa fuite, il pouvait au moins essayer de le ralentir et laisser ainsi une chance à Grace de le capturer.

Ils firent irruption sur le palier du second étage. Deux femmes de chambre en uniforme bavardaient à côté de leurs chariots.

Elles levèrent la tête en même temps et écarquillèrent les yeux de terreur en voyant qu'ils étaient armés.

— Le monte-charge ! s'exclama Ethan d'un ton urgent. Où est-il ?

Aucune d'elles ne parvint à articuler un son. Mais l'une des deux pointa le doigt vers le bout du corridor. Grace se précipita en avant et passa devant Ethan. Celui-ci jura tout bas. Il aurait préféré que la jeune femme reste derrière lui.

Ils n'avaient parcouru que la moitié du corridor lorsqu'ils entendirent les portes du monte-charge coulisser en grinçant. Grace poussa une exclamation de contrariété et se jeta en avant, glissant ses doigts entre les deux portes. Ethan se joignit à elle, posant les mains juste au-dessus des siennes. Les portes cédèrent et se rouvrirent. Tous deux firent un bond en arrière et brandirent leurs armes.

La cabine était vide. Abandonnée sur le sol, ils virent la veste blanche d'un serveur, tachée de sang.

Grace pivota sur ses talons, scrutant nerveusement le hall. Mais elle savait que Reardon n'était pas descendu à cet étage. De fait, il n'avait sans doute même pas pris le monte-charge. Elle s'était laissé prendre à une ruse classique utilisée pour tromper l'ennemi.

Elle fit mine de pénétrer dans le monte-charge, mais Ethan lui saisit le bras.

— Que faites-vous ? s'exclama-t-elle en repoussant sa main. Il est resté dans la lingerie. Il faut y retourner.

Ethan remit son revolver sous sa ceinture.

— Il est parti, Grace.

— Qu'en savez-vous ? répliqua-t-elle d'un ton rageur. Il est peut-être encore là-bas. Vous n'êtes pas obligé de me suivre, mais moi j'y retourne. Je viderai chaque panier de linge s'il le faut, mais je le trouverai. Il ne m'échappera pas, je le…

Elle s'interrompit brusquement en se rendant compte du spectacle qu'elle devait offrir. Elle s'était mise à hurler, elle avait perdu tout contrôle d'elle-même.

Une fois de plus Reardon avait gagné sur tous les plans. A cause de lui elle avait agi sans réfléchir.

Au prix d'un intense effort, elle s'obligea à sortir du monte-charge et à inspirer très profondément. Ethan la regardait fixement et elle se dit que son expression en ce moment n'était pas de celles qui s'oublient facilement. Ses yeux étaient sombres et étrécis, sa bouche ne formait qu'une ligne mince et dure. Elle frissonna en se demandant ce qu'il adviendrait un jour, si Ethan Hunter et Trevor Reardon se trouvaient face à face.

Une chose était sûre, en tout cas. Ethan ne ressemblait à aucun des autres médecins qu'elle avait connus !

— Où avez-vous trouvé cette arme ? parvint-elle à demander avec un semblant de calme.

Ethan haussa les épaules, mais elle vit une ombre voiler son regard.

— Dans le coffre de la maison. J'ai pensé que ça pourrait servir ce soir.

Grace fut sur le point de lui servir le vieux couplet sur le danger que représentait une arme à feu entre les mains d'un amateur, mais elle se sentit soudain trop lasse pour cela. D'autre part, elle eut l'intuition qu'Ethan devait savoir manier une arme avec autant d'efficacité qu'un scalpel.

Elle glissa son propre revolver dans son sac et dit :

— Je pense que vous avez raison. Reardon doit être loin maintenant.

— Il a laissé un homme dans la lingerie, la gorge transpercée par une balle.

— Mon Dieu, chuchota Grace, atterrée.

Etait-ce un des agents de Myra ?

— Il faut redescendre. Vous pourrez peut-être faire quelque chose pour lui.

Ethan lui prit le bras et la retint.

— Personne ne peut plus rien pour lui, Grace. Il est mort.

La jeune femme eut une hésitation.

— Il faut quand même prévenir quelqu'un. Nous ne pouvons pas le laisser comme ça.

— Je sais exactement ce qu'il faut faire.

Grace lui lança un regard acéré. Quelque chose dans le ton de sa voix l'inquiéta brusquement.

— Que voulez-vous dire ?

L'expression de son compagnon se durcit.

— C'était de la folie de croire que nous pouvions agir seuls. Reardon est un tueur. Un dangereux criminel qui s'est évadé deux fois de prison. Et trois personnes sont déjà mortes parce qu'il est à ma poursuite. D'abord Amy, ensuite Melburne et maintenant cet homme. Combien d'autres vont encore mourir à cause de moi ?

Elle eut du mal à soutenir son regard empreint de culpabilité.

— Ce n'est pas votre faute, dit-elle d'un ton pressant. Ce n'est pas vous qui avez tué ces gens.

— Ce n'est pas le langage que vous teniez le soir où nous nous sommes rencontrés. Vous disiez que j'étais responsable de la mort d'Amy. Et si tout ce que vous soupçonnez est vrai, vous aviez raison.

Grace le contempla sans savoir que dire. Ethan lui posa les mains sur les épaules et la regarda au fond des yeux. Pendant un long moment ils demeurèrent ainsi et elle vit une myriade d'émotions passer dans ses yeux sombres.

— Je ne peux pas vous faire risquer votre vie pour sauver ma peau, Grace, dit-il enfin. Il n'en est pas question. Je vais appeler l'inspecteur Pope et tout lui expliquer. Il faut que cette affaire soit réglée avant demain. Je me moque de ce qui m'arrivera, mais il faut absolument faire appel à la police. Maintenant.

Grace fut abasourdie. Cet homme était prêt à affronter un interrogatoire de police, prêt à risquer la prison, pour sa sécurité à *elle* ?

Personne ne s'était soucié d'elle à ce point. Depuis quand ne s'était-elle plus laissé protéger par un homme ?

Jusqu'à présent, Grace agissait en solitaire.

Elle ferma un instant les yeux et prit une décision qui, elle le savait, risquait de lui coûter très cher. Quand elle parla, elle se rendit compte que sa voix tremblait.

— Ce n'est pas la peine d'appeler qui que ce soit, dit-elle. *Je suis* la police.

11.

De retour chez Ethan, Grace se campa derrière la fenêtre du deuxième étage. De là, elle avait un point de vue idéal pour surveiller les abords de la villa. Par-delà la muraille qui entourait le jardin, elle apercevait la rue. Une voiture était garée dans le virage. Des lumières brillaient dans tout le quartier, mais la berline sombre se fondait dans les ombres projetées par les chênes au bord de l'avenue.

Dans la direction opposée, à l'endroit où deux rues formaient une intersection, un homme fumait dans l'obscurité. Grace voyait le bout incandescent de sa cigarette qui fendait la nuit au gré des mouvements de son bras. A cette distance, elle ne pouvait distinguer son appareil de radio ni son arme, mais elle savait qu'il restait en communication constante avec Myra et avec l'homme assis dans la voiture. Depuis ce soir, cette mission avait revêtu un caractère personnel pour tous les agents du Bureau de Houston. Joe Huddleston, un agent apprécié et respecté de ses collègues, venait d'être assassiné de sang-froid. Son corps avait été retrouvé au fond d'un panier contenant des draps, dans la lingerie de l'hôtel.

Grace connaissait Joe depuis des années. Ils avaient fait leur entraînement ensemble à Quantico et il était un des rares agents du FBI à connaître toute l'histoire de la jeune femme. A présent il était mort. Tué par Reardon.

Pendant un moment, Grace se sentit consumée de haine. Mais elle s'obligea à se ressaisir, à respirer, à considérer les événements sous un angle logique et objectif. Plus tard, elle prendrait le temps de penser à Joe comme il le méritait. Pour l'instant, elle devait rester concentrée sur sa mission.

Etait-ce lui, déguisé en serveur, qu'elle avait vu dans le corridor de l'hôtel ? Si c'était le cas, son changement d'apparence était presque surnaturel.

Grace repassa dans son esprit les événements de la soirée. La dernière fois qu'elle avait vu Huddleston, il sortait de la salle de réception à la suite de Pilar et Kendall. La petite scène de Pilar était-elle destinée à faire diversion ? Etaient-ce Pilar et Kendall qui avaient essayé de tirer sur Ethan ce soir ? Avaient-ils tué Melburne et Huddleston ?

Myra avait confié l'enquête à un de ses agents. Mais elle-même concentrait tous ses efforts sur la capture de Reardon. Quand Grace l'avait contactée un peu plus tôt pour lui exposer ce qu'elle avait l'intention de faire, Myra s'y était opposée.

— Tu ne dois pas lui dire la vérité, Grace. Et s'il cherchait à s'enfuir ?

— Je ne crois pas qu'il le fera, avait contré Grace. Et d'autre part, je n'ai pas le choix. Si je ne lui dis pas la vérité, il ira trouver la police. Nous n'avons vraiment pas besoin que la police de Houston vienne fourrer le nez dans cette affaire.

Elle était finalement parvenue à apaiser les craintes de Myra. Mais Grace savait qu'elle aurait plus de difficultés avec Ethan. Elle n'était pas près d'oublier l'expression de ses yeux quand elle lui avait annoncé qu'elle appartenait au FBI.

Curieusement, Ethan n'avait rien dit aux autorités. Il l'avait laissée prendre la direction des opérations et, quand son tour était venu de faire une déposition, il n'avait pas dit un mot susceptible de la trahir. Alors Grace avait compris à quel point il lui faisait confiance. Et aussi combien elle lui était redevable d'avoir su garder le silence.

Maintenant, le moment était venu de le payer en retour, se dit-elle en se détournant de la fenêtre. Ethan allait certainement exiger une explication et elle avait intérêt à être convaincante.

De l'autre côté de la pièce, Jacquot s'agitait sur son perchoir. Grace alla se camper devant lui et l'observa un moment.

— A quoi faisais-tu allusion hier quand tu as dit « débarrassons-nous de ce salaud une fois pour toutes » ?

L'animal pencha la tête de côté et hurla :

— Ils ne sont pas vrais !

— Ah, non ! Tu ne vas pas recommencer ! Si ça continue tu vas faire connaissance avec moi !

— Bonne idée, déclara Ethan.

Grace pivota sur ses talons. Il se tenait sur le seuil, un verre dans chaque main.

— Qui êtes-vous, Grace ?

— Je vous l'ai déjà dit, rétorqua-t-elle en s'humectant les lèvres. Je suis agent fédéral.

— FBI ?

— C'est cela.

— Grace Donovan est votre vrai nom ?

— Oui.

— Vous pensez vraiment que je vais croire cette histoire ?

— Je peux vous montrer mes papiers d'identité et mon badge, si vous voulez.

— Pas la peine. Je suis sûr qu'ils sont aussi faux que votre carte professionnelle. Ou votre lien de parenté avec Amy.

Il lui tendit un des deux verres. Grace refusa et il fit remarquer d'un ton amer :

— Oh, j'oubliais. Vous êtes toujours en service, n'est-ce pas ?

Comment lui faire comprendre ses motivations ? Comment se faire pardonner tous ces mensonges ? se demanda Grace en se passant les doigts dans les cheveux.

— Ecoutez, je suis désolée de ne pas vous avoir dit la vérité dès le début. Mais je ne le pouvais pas.

— Vous obéissiez aux ordres, c'est cela ? dit-il en la regardant fixement.

Elle eut une hésitation. Certes il aurait été facile de faire endosser la faute à ses supérieurs hiérarchiques. Mais la vérité, c'est que c'était elle qui avait eu l'idée de se faire passer pour la sœur d'Amy. Elle seule.

Elle prit sa respiration et déclara :

— Je devrais peut-être tout reprendre depuis le début.

— Peut-être, en effet.

Il vida son verre d'un trait et le posa sur la table avant de se retourner vers elle.

— Je vous écoute, dit-il.

Grace alla de nouveau se poster derrière la fenêtre qui donnait sur la rue. La surveillance était toujours en place. Mais cela n'allégea nullement le poids qui pesait au creux de son estomac. Une fois qu'elle aurait révélé la vérité à Ethan, l'autoriserait-il à rester chez lui ? Accepterait-il sa protection ?

— Trois jours avant d'être tuée, Amy Cole s'était rendue au Bureau fédéral de Houston et avait demandé à parler à un agent du FBI. Elle disait que c'était urgent. L'homme qui la reçut s'appelait Joe Huddleston.

Elle perçut son tressaillement de surprise.

— L'agent qui a été tué ce soir ?

Grace acquiesça d'un mouvement de tête.

— Joe avait fait son entraînement à Quantico avec moi. Au fil des années, nous étions restés en contact. Il savait que mon supérieur à Washington essayait de localiser Trevor Reardon. Il nous a contactés immédiatement après avoir parlé à Amy.

— Que lui avait dit Amy ? s'enquit Ethan en rejoignant Grace derrière la fenêtre.

— Que son employeur, le Dr Ethan Hunter, un chirurgien plasticien renommé, utilisait sa clinique du Mexique pour refaire le visage de criminels qui payaient très cher ses services.

— Avait-elle des preuves de ce qu'elle avançait ?

Grace marqua une pause avant de déclarer :

— Aucune. Seulement des soupçons.

Ethan eut brusquement un geste de colère qui fit tressaillir Grace de surprise.

— Vous voulez dire que vous n'avez aucune preuve qu'il se soit passé quelque chose d'illégal là-bas ? Toute cette affaire est basée sur les soupçons d'une femme ?

— Je comprends ce que vous ressentez, mais…

— Ça m'étonnerait, interrompit sèchement Ethan. Vous n'avez aucune idée de ce que je ressens en ce moment.

— Vous avez le droit d'être en colère. Mais laissez-moi terminer au lieu de tirer des conclusions trop vite.

Ethan lui tourna le dos et contempla la fenêtre, l'air sombre.

— Amy avait découpé dans le journal une photo de Trevor Reardon. Celle que je vous ai montrée. Elle a dit à Joe Huddleston qu'elle était certaine d'avoir vu Reardon parler avec le Dr Hunter… avec vous, donc, quelques mois auparavant dans la clinique du Mexique.

— Continuez, ordonna Ethan en lui lançant un regard dur.

— Comme je vous le disais, Joe savait que ma supérieure hiérarchique, Myra Temple, cherchait à coincer Reardon depuis des années. Il m'a appelée et m'a raconté ce qui s'était passé. Quand j'ai mis Myra au courant, elle a décidé que nous devions venir à Houston et questionner nous-mêmes Amy afin de voir si son histoire tenait la route. Nous ne pouvions pas exclure d'emblée la possibilité d'avoir affaire à une mythomane ou à une maîtresse délaissée cherchant à se venger. Il fallait tout envisager. Mais elle avait vraiment découvert quelque chose d'important. Myra et moi nous sommes mises au travail avec l'aide du Bureau de Houston. Nous avons établi une surveillance et même prévu un piège qui était destiné le cas échéant à vous obliger à coopérer.

Ethan lui jeta un bref regard.

— Vous étiez prête à aller jusqu'où pour obtenir ma coopération ?

— Jusqu'au bout, reconnut Grace avec un haussement d'épaules.

— Dire que je vous ai accusée un jour d'être froide, dit-il en l'enveloppant d'un regard énigmatique.

— Vous aviez raison, répondit-elle avec un détachement feint. Je suis froide. Sans pitié. Je ferais n'importe quoi pour capturer Trevor Reardon.

Ethan lui lança un regard acéré.

— Pourquoi est-ce si important pour vous ?

Grace réprima un frémissement. Elle désirait être franche avec Ethan, cependant il y avait certaines choses qu'elle n'avait jamais dites à personne. Des choses dont elle se sentait encore aujourd'hui incapable de parler.

— C'est un meurtrier. Il tue ses victimes de sang-froid. Je ne veux pas que davantage de gens meurent à cause de lui.

— Et c'est tout ? demanda Ethan d'un ton étrange.

— Ça ne suffit pas ?

Il garda le silence un moment, songeant à ce qu'elle venait de lui révéler. Puis tout à coup, il demanda :

— Qu'est-ce qui n'a pas fonctionné dans votre plan ? Pourquoi Amy Cole est-elle morte ?

Grace soupira lourdement et reprit :

— Nous ne pensions pas que vous reviendriez à Houston avant au moins deux semaines. Je pense qu'elle vous a contacté pour vous prévenir que les fédéraux vous attendraient à votre retour. Nous avions placé l'aéroport sous surveillance, ainsi que votre maison et l'appartement d'Amy. Nous pensions avoir pris le maximum de précautions. Mais vous n'avez pas emprunté un avion de ligne et vous avez atterri sur un aéroport privé. Vous avez probablement appelé Amy avec votre téléphone cellulaire et vous êtes arrangé pour la retrouver à la clinique. Sans doute dans le but de vous débarrasser de certaines preuves. Amy est parvenue à échapper à notre surveillance et quelques heures après nous avons appris qu'elle était morte.

Grace leva les yeux et vit le reflet d'Ethan dans la vitre. Il la regardait et son expression la mit mal à l'aise.

— Cela ne me dit toujours pas ce qui lui est arrivé. A moins que vous ne vouliez insinuer que c'est moi qui l'ai tuée ?

Elle se tourna vivement vers lui.

— Non, ce n'est pas ce que je crois. Trevor Reardon vous a suivi. Il vous suivait sans doute depuis le Mexique. C'est lui qui vous a agressé à la clinique et il s'est arrangé pour faire croire que vous aviez surpris un cambrioleur. Un drogué qui espérait trouver des produits dans votre cabinet. Je n'ai jamais pensé que vous aviez tué Amy, répéta Grace.

Elle voulait absolument qu'il la croie.

— Comment avez-vous su que vous deviez vous rendre à la clinique ?

Grace haussa les épaules.

— Une pure coïncidence. En fait, ce que je vous ai dit était vrai : je devais retrouver Amy ce soir-là. Mais elle n'est pas venue au rendez-vous. Quand je me suis aperçue qu'elle avait réussi à sortir de chez elle sans se faire repérer par nos agents, j'ai compris qu'il fallait que je la retrouve au plus vite. Je savais qu'elle était en danger. Alors je me suis rendue à la clinique, parce que c'était le seul endroit que je connaissais où j'avais une chance de la trouver. Quand j'ai découvert ce qui s'était passé, j'ai préféré ne pas dire à la police que j'appartenais au FBI. L'homicide était de leur ressort. Mais s'ils avaient appris qu'Amy collaborait avec le Bureau, nous aurions été obligés de leur exposer toute l'affaire. Cela risquait d'alerter Reardon et de lui faire comprendre que nous étions sur ses traces. Donc, je me suis fait passer pour la sœur d'Amy.

Ethan la considéra en haussant les sourcils.

— Et si elle avait eu réellement une sœur ? Celle-ci aurait pu démolir votre histoire.

— Je savais que ce n'était pas le cas. Elle m'avait confié qu'elle n'avait pas de famille et qu'elle n'aimait pas parler de son passé. J'ai donc pensé que je ne courais pas de grands risques en assumant ce lien de parenté avec elle.

— Et puis vous avez décidé d'entrer en contact avec moi.

Ethan se retourna vers la fenêtre.

— Je ne comprends toujours pas pourquoi vous ne m'avez pas dit la vérité. Cela n'aurait-il pas été plus simple ?

— Peut-être, admit Grace. Mais je ne pouvais pas prendre ce risque. Pourquoi auriez-vous accepté de coopérer ?

— Je ne sais pas, dit-il avec désinvolture. Peut-être pour me protéger du tueur ? Ou bien parce que c'était le seul choix honnête qui me restait ?

Grace demeura silencieuse. Au bout d'un moment, Ethan ajouta :

— Finalement mon amnésie est tombée à pic pour vous, non ?

Elle ne prit pas la peine de protester.

— Cela vous rendait vulnérable. Vous ne pouviez pas aller trouver la police sans vous impliquer vous-même dans une histoire louche. En outre, sans mémoire, vous ne pouviez pas savoir qui voulait vous tuer et vous ne pouviez pas vous protéger. Je me suis arrangée pour que vous soyez obligé de vous appuyer sur moi.

Elle vit qu'il encaissait le choc.

— Dites-moi quelque chose, Grace, reprit-il d'une voix un peu altérée. Jusqu'où étiez-vous prête à aller pour vous assurer ma collaboration ?

— Je vous l'ai dit, j'étais prête à tout.

— Même à ça ?

Il se tourna brusquement et agrippa les épaules de la jeune femme, l'obligeant à se tourner face à lui. Son regard était sombre et ardent, mais ses traits tendus semblaient sculptés dans la pierre. Quand il l'embrassa, la première réaction de Grace fut de le repousser afin de regagner le contrôle de la situation.

Mais en une fraction de seconde, elle se rendit compte que la froideur d'Ethan n'avait été qu'une façade. Et elle sut instinctivement ce qu'il voulait. Ce qu'il désirait ardemment.

Elle lui rendit son baiser de toute son âme, de toutes ses forces. Elle s'offrit de tout son être, laissant déferler sans retenue les émotions qui s'étaient emparées de son corps et de son esprit.

Quand il s'écarta, ils demeurèrent un instant face à face, comme choqués par ce qu'ils venaient d'éprouver. Grace sentit ses genoux trembler, mais elle s'efforça d'avoir l'air calme et posa sur Ethan un regard limpide.

— Dans ce domaine, je ne t'ai jamais menti, dit-elle dans un murmure. Je n'avais pas prévu ce que j'éprouverais pour toi.

Il avait gardé les mains posées sur ses épaules. Il la contempla longuement, le souffle court, puis demanda :

— Qu'est-ce que tu ressens ?

Le cœur de Grace battait la chamade. Il y avait bien longtemps qu'elle n'avait plus parlé ainsi avec un homme. Qu'elle n'avait pas révélé ses sentiments profonds.

— C'est comme ce que tu m'as dit l'autre jour. Nous sommes rattachés par quelque chose. Je ne comprends pas exactement, mais c'est plus qu'une simple attirance. C'est comme si…

— Comme si nous étions destinés l'un à l'autre.

Grace ferma les yeux.

— Mais je n'ai pas le droit d'éprouver cela, protesta-t-elle. Je ne peux pas me laisser dominer par mes émotions. Je ne dois pas oublier qui je suis ni ce que je dois faire. Et je ne dois pas oublier non plus qui tu es.

— Qui je suis, répéta-t-il d'un ton morne.

Il laissa ses mains retomber, tourna le dos à la jeune femme et s'éloigna de quelques pas.

Grace hésita, ne sachant si elle devait le suivre. Mais il n'alla pas très loin. Il s'immobilisa au centre de la pièce et resta là, regardant autour de lui, comme s'il s'apercevait tout à coup qu'il n'était pas vraiment chez lui.

Pendant un long moment, ni l'un ni l'autre ne parlèrent. Quand il se tourna vers Grace, son regard était si sombre qu'elle sentit son souffle s'accélérer d'appréhension.

— Je ne suis pas celui que tu crois.

— Tu me l'as déjà dit, répondit-elle en allant vers lui. Et je crois comprendre pourquoi tu as cette impression. C'est comme s'il y avait deux personnalités en toi. Un homme aide les criminels pour de l'argent et l'autre transforme les monstres en anges. Cet homme-là peut redonner l'envie de vivre aux enfants malheureux. C'est l'homme que tu es en réalité, Ethan. C'est cet homme-là dont tu te souviens. L'autre te semble irréel, parce que tu n'as pas envie d'être lui.

Une expression d'incertitude passa dans ses yeux, puis il se rembrunit de nouveau.

— C'est une explication un peu fantasque pour un agent du FBI, Grace. Je suis sûr que tu n'y crois pas plus que moi.

— Détrompe-toi.

Elle posa une main sur son bras et sentit ses muscles se tendre au contact de ses doigts.

— Je sais que tu es quelqu'un de bien. Il y a de la bonté chez toi, même si elle cohabite avec un côté plus sombre.

Elle marqua un temps d'arrêt, cherchant ses mots, puis reprit :

— Je ne sais pas pourquoi ce côté sombre est ressorti chez toi. Mais je suis persuadée qu'il existe en chacun de nous.

— Même chez toi ? interrogea-t-il en levant les sourcils.

Elle eut un petit rire amer.

— Surtout chez moi. Quoi que tu aies fait, je ne pense pas avoir le droit de te juger.

Ethan ne parut pas l'entendre. Il était retourné devant la fenêtre et contemplait l'obscurité. Au bout d'un moment il déclara :

— La journée a été longue, je suis exténué. Nous parlerons de tout ça demain et nous essaierons de prendre une décision.

Grace avait apporté un sac contenant ses affaires. Mais après qu'elle lui eut avoué qui elle était, elle n'était plus certaine qu'il veuille de sa présence dans la maison.

— C'est une bonne idée, dit-elle. Allons nous reposer. A demain.

Elle s'attendait qu'il se tourne pour dire quelque chose. Mais il demeura planté devant la fenêtre, le dos tourné. Il ne lui souhaita même pas bonne nuit. Au bout de quelques secondes, Grace quitta le salon.

Un agent fédéral. Un flic, en somme.

Il aurait dû s'en douter. Et peut-être au fond de lui le savait-il. Car il n'avait pas vraiment éprouvé de choc en entendant son explication. Il avait toujours soupçonné Grace d'être autre chose que ce qu'elle avait bien voulu lui dire.

Pas étonnant qu'elle ait eu tellement confiance en elle et n'ait pas reculé devant la perspective d'affronter Reardon. Elle avait été formée et entraînée pour poursuivre des criminels de sa trempe.

Grace était un agent du FBI qui avait été envoyé à Houston non seulement pour traquer Reardon, mais pour le protéger, lui.

Qu'éprouvait-il à l'idée que sa vie tenait entre les mains d'une femme ? Les mains de Grace ?

Il aurait dû ressentir une gêne, être blessé dans son orgueil de mâle, mais ce n'était pas le cas. En fait, il y avait beaucoup d'autres choses dans cette situation qui le perturbaient davantage. Le fait qu'elle lui ait menti, par exemple. Qu'elle lui ait laissé croire qu'elle était la sœur d'Amy. Et surtout qu'elle n'ait éprouvé aucun remords à ce sujet.

Pour elle, c'était un moyen d'arriver à ses fins. Voilà, c'était aussi simple que ça.

Oh, bien sûr, il lui plaisait. Elle n'avait pas essayé de le nier et d'ailleurs elle ne pouvait pas cacher l'attirance qu'il lui inspirait. Mais son désir de capturer Reardon dépassait de loin son désir pour lui. De fait, c'était cela qui le gênait le plus. Grace était une vraie professionnelle. Son travail passait avant sa vie de femme. Et elle ne changerait pas. Du moins, pas pour lui.

Il se rappela la lueur désespérée qu'il avait vue briller dans ses yeux, la première fois qu'elle lui avait parlé de Reardon. Elle semblait consumée par un feu intérieur qui l'avait mis mal à l'aise.

Pourquoi Grace ressentait-elle une haine si profonde pour Reardon ? Pourquoi était-elle prête à braver tous les risques pour l'arrêter ?

Pourquoi s'investissait-elle autant dans cette mission ?

Ethan se rendit compte qu'il connaissait la réponse bien avant d'avoir formulé la question dans sa tête. Une sensation de nausée s'empara de lui tandis qu'il contemplait le ciel sombre.

Enveloppée dans un peignoir en éponge, Grace reposa le sèche-cheveux qu'elle tenait à la main et se regarda longuement dans le miroir de la salle de bains. N'en avait-elle pas trop dit à Ethan ? Avait-elle eu raison de se confier ? En réalité, elle n'avait pas eu vraiment le choix. C'était la seule façon de l'empêcher d'aller raconter toute l'histoire à la police. Il fallait seulement espérer qu'il continuerait de coopérer avec elle.

Mais pourquoi le ferait-il ? Elle lui avait menti à chaque pas depuis leur première rencontre. Pourquoi voudrait-il encore avoir affaire à elle ?

La fin justifiait peut-être les moyens, mais pour le moment elle avait un sacré problème de conscience. Elle avait délibérément risqué la vie d'Ethan dans l'espoir de capturer Reardon. Et elle n'avait même pas eu l'élégance de lui expliquer pourquoi.

Son passé, elle ne pouvait en parler avec personne. Même pas avec Myra. Ce que Trevor Reardon lui avait fait, ce qu'il avait fait à sa famille était quelque chose de trop personnel pour qu'elle puisse en discuter au grand jour. Grace n'avait jamais surmonté la culpabilité ni la honte qu'elle éprouvait au souvenir de ces événements.

Si elle n'en avait rien dit à Ethan, c'était parce qu'elle redoutait de voir le dégoût et le mépris s'inscrire dans son regard.

Elle n'avait guère envie non plus de lire tout ça dans ses propres yeux, songea-t-elle en se détournant du miroir. Elle se dirigea vers la chambre, où elle avait déposé sa valise. Fouillant dans le contenu de celle-ci, elle en sortit un pyjama de soie qu'elle enfila. Alors qu'elle rabattait le couvre-lit, la porte s'ouvrit derrière elle.

Grace fit volte-face, saisit à deux mains le revolver posé sur la table de chevet et s'accroupit en pointant l'arme vers la porte.

Ethan se figea sur le seuil. Son regard se posa d'abord sur le revolver, puis sur le visage de la jeune femme. Il ne portait qu'un jean, et des gouttelettes brillaient dans ses cheveux, comme s'il sortait à peine de la douche. Les doigts de Grace se mirent à trembler.

Il avança de quelques pas. Elle eut une brève hésitation puis baissa les bras et reposa le revolver sur la table, derrière elle.

Ethan se tenait juste devant elle à présent. Il ne la toucha pas, mais ils étaient si proches l'un de l'autre que Grace sentit sa respiration s'accélérer. Elle sentit une vague chaude de désir déferler dans son corps. Son cœur se mit à battre follement. Elle fut tentée un instant de poser les doigts sur son torse nu afin d'éprouver la force de ses muscles.

— C'est de toi que tu parlais, n'est-ce pas ?

Eberluée, elle leva les yeux vers lui.

— Que veux-tu dire ?

— La fille de l'agent du FBI dont tu m'as raconté l'histoire. La seule de la famille qui ne soit pas morte dans l'incendie. Celle que Trevor Reardon a voulu tuer ensuite. C'est toi.

Elle voulut se tourner, mais il lui prit les bras et l'obligea à rester face à lui. Elle baissa la tête. Elle ne voulait pas voir le mépris dans ses yeux.

— Pourquoi tu ne me l'as pas dit ? questionna-t-il.

— Je ne pouvais pas. Même après toutes ces années, cela reste tellement douloureux, murmura-t-elle, évitant toujours son regard.

Il lui mit une main sous le menton et l'obligea à lever la tête. Elle n'eut pas d'autre choix alors que de croiser son regard. Ses yeux ne contenaient aucun mépris, constata-t-elle. En revanche, ils étaient animés d'une telle émotion qu'elle en eut le souffle coupé.

— Que s'est-il passé cette nuit-là ? demanda-t-il d'une voix douce.

— Je t'en prie, je ne peux pas en parler. Je n'en ai jamais parlé.

— Tu ne crois pas qu'il serait temps de le faire ?

— C'est trop personnel, balbutia-t-elle en portant le bout de ses doigts à ses lèvres. Je ne *peux pas* te le raconter. Je ne veux pas que tu le saches.

— Tu m'as dit tout à l'heure que tu n'avais pas le droit de me juger, Grace. C'est réciproque.

Quand elle redressa la tête, elle vit que sa propre angoisse se reflétait dans les yeux d'Ethan. Elle recula d'un pas et il ne tenta pas de la retenir.

— Je pense être exactement le genre de personne à qui tu peux te confier, dit-il d'une voix sourde.

Il se dirigea vers la fenêtre et Grace frissonna en observant son profil.

— C'est mon père qui a procédé à l'arrestation de Reardon, commença-t-elle. Le FBI était à ses trousses depuis des années. Après avoir quitté l'armée, il était devenu un tueur à gages. Il supprimait des employés du gouvernement à l'étranger, ou même des hommes d'affaires très puissants, contre de fortes sommes d'argent. Par la suite il est entré en contact avec des terroristes fanatiques au Moyen-Orient et s'est aperçu qu'ils étaient prêts à payer très cher un expert en explosifs comme lui pour les aider à faire leur sale besogne. Reardon apprécie autant la notoriété que l'argent. Et il aime tuer.

Elle marqua une pause et essaya de mettre de l'ordre dans ses idées. De chasser les images horribles qui tournaient dans sa tête et la tourmentaient.

— Après l'avoir traqué pendant deux ans, mon père est finalement parvenu à l'arrêter. Mais Reardon s'est échappé avant d'avoir été jugé. J'avais entendu mon père prononcer son nom à l'époque de l'arrestation, mais il ne nous a jamais parlé de son évasion. Je suppose qu'il ne voulait pas nous inquiéter. Il pensait sans doute que Reardon quitterait le pays sans chercher à se venger. Mais il avait sous-estimé son obsession pour la perfection. Reardon ne supportait pas de ne pas aller jusqu'au bout d'une mission.

Ethan la regardait intensément, mais il continua de garder le silence.

— Il est entré chez nous un jour où nous étions tous sortis, reprit Grace. Il a installé une bombe dans la maison. Toutes les portes et les fenêtres étaient reliées à un système compliqué. Une fois l'explosif principal déclenché, chaque porte et chaque fenêtre explosait quand on essayait de les ouvrir. C'était un plan incroyablement sophistiqué, qu'il avait déjà utilisé quelques années auparavant dans la maison d'un homme d'affaires italien. A l'explosion de la bombe, toute la maison a pris feu. Mes parents étaient au rez-de-chaussée, mais ma sœur se retrouva prisonnière au premier étage. Je l'ai vue par la fenêtre. Ses vêtements et ses cheveux étaient en feu…

Grace s'interrompit brusquement, assaillie par des visions insupportables. Ethan la regarda, mais ne fit pas mine de s'approcher d'elle.

— Je n'arrive pas à imaginer ce que tu as dû ressentir.

— Personne ne le peut, répondit Grace en haussant les épaules. Je suis arrivée juste après l'explosion. Mais l'incendie s'est propagé si vite qu'ils n'avaient aucune chance d'en réchapper. En fait, même sans le système d'explosion des portes et des fenêtres, ils seraient morts de toute façon.

— Où étais-tu ? finit-il par demander.

C'était la question que Grace redoutait. Elle ferma les yeux, comme si elle espérait ainsi parvenir à supprimer les hurlements qui résonnaient dans sa tête.

— J'étais avec lui. Avec Trevor Reardon.

Elle plaqua les mains sur son visage et se tourna vers Ethan. Le silence était si assourdissant qu'elle crut entendre le sang battre au fond de ses tympans. Elle comprit qu'Ethan était sous le choc. La révélation qu'elle venait de lui faire le révulsait. Au bout de quelques instants il lui prit les poignets et l'obligea à écarter les mains.

— Raconte-moi le reste, lui ordonna-t-il doucement.

Grace frissonna et reprit :

— Je l'avais rencontré quelques jours auparavant. J'ai compris ensuite qu'il avait provoqué la rencontre à dessein. Tout cela faisait partie de son jeu. C'était une autre façon de se venger de mon père. Et j'étais si naïve, si stupide. J'ai cru tout ce qu'il m'a dit. J'étais tellement flattée qu'un homme de son âge, si raffiné, me trouvât désirable ! Il m'a séduite, ajouta-t-elle, la gorge contractée par la nausée. Je l'ai laissé faire. Je voulais être séduite.

Elle tenta de se détourner, mais Ethan lui maintint fermement les poignets.

— Quel âge avais-tu ?

— Dix-sept ans.

— Tu n'étais qu'une enfant, Grace. Une proie facile.

— Mais j'aurais dû deviner ! protesta-t-elle. J'aurais dû comprendre qui il était, ce qu'il avait projeté. J'aurais dû l'en empêcher.

Une larme roula sur son visage. Ethan la contempla avec une immense compassion et essuya la larme du bout de son doigt. Un geste si doux, si tendre, que Grace sentit ses larmes redoubler, des sanglots surgir du plus profond d'elle-même. Au prix d'un intense effort de volonté, elle parvint à les réprimer.

— Et depuis toutes ces années tu portes cette culpabilité en toi, dit Ethan en l'observant. Tu ne crois pas qu'il est temps de t'en débarrasser ? De te pardonner une fois pour toutes à toi-même d'avoir été jeune et naïve ?

— Ce n'est pas comme si je m'étais contentée de faire l'école buissonnière ! répliqua-t-elle d'un ton rageur. Ma famille a été tuée pendant que je…

— Tu n'aurais rien pu faire pour empêcher Reardon d'organiser son scénario macabre. Il faut que tu le comprennes. Il aurait mis son plan à exécution de toute façon. La seule différence c'est que toi, tu es restée en vie. Et je pense que c'est cela que tu ne parviens pas à te pardonner.

Grace pencha la tête, accablée par l'émotion. Elle était incapable de prononcer un mot pour approuver ou rejeter ce qu'il disait. Elle le laissa l'attirer entre ses bras et se blottit, malgré elle, contre lui.

Une partie d'elle-même voulait résister, car elle savait qu'elle était plus vulnérable ce soir qu'elle ne l'avait jamais été. Elle avait besoin de sentir l'étreinte chaude et réconfortante d'Ethan. Et cela l'effrayait. La terrifiait.

Pendant un très long moment, ni l'un ni l'autre ne prononcèrent une parole. Ils demeurèrent immobiles, tandis que Grace combattait les démons intérieurs qui la détruisaient depuis des années.

Au bout de quelques minutes, ces démons lui parurent moins puissants qu'autrefois. Les images violentes qui la hantaient s'estompèrent. Grace leva les yeux vers Ethan.

— Je n'avais jamais dit à personne ce qui s'était passé. Certains au Bureau le savent. Myra Temple, la femme qui m'a sortie des griffes de Reardon quand il a voulu me tuer. Et Joe Huddleston. Quelques autres encore, qui étaient présents au moment où les événements ont eu lieu. Mais je n'ai jamais pu le *raconter* à quelqu'un. Je n'ai jamais eu assez confiance…

Une lueur passa dans les pupilles d'Ethan, une émotion si profonde que Grace fut parcourue d'un frémissement.

— J'espère que tu ne t'es pas trompée en me le racontant à moi.

Elle s'écarta un peu pour le regarder.

— Je ne comprends pas…

Il marqua une hésitation, puis murmura :

— J'espère que je suis digne de ta confiance.

Grace devina aussitôt ce qu'il voulait dire. Il ne pensait pas à ce qu'elle venait de lui raconter, mais à son propre passé. Aux actes qu'il avait commis. Aux démons qu'il combattait à présent.

Elle lui caressa le visage du bout des doigts.

— Je pensais ce que j'ai dit tout à l'heure. Je sais qu'il y a de la bonté en toi. Et maintenant que tu connais mon côté obscur, est-ce que cela change tes sentiments pour moi ?

Il esquissa l'ombre d'un sourire.

— Au contraire, cela ne fait que resserrer le lien entre nous. Je te désire encore davantage.

Et soudain Grace reconnut l'émotion qu'exprimaient ses yeux. La passion. Une passion puissante, téméraire, à la mesure de la flamme qui la consumait, elle.

Ethan pencha la tête. Leurs regards se soutinrent longuement avant qu'il ne prît ses lèvres. Grace ferma les yeux et un long frémissement lui parcourut le corps. Le baiser d'Ethan était exigeant. Grace éprouva comme une explosion de désir.

Il n'était plus question d'attirance, songea-t-elle, éperdue. Ni même d'alchimie. C'était le destin. Un moment qui devait exister, quelles que soient les conséquences.

Elle noua les bras autour du cou d'Ethan, enfouit les doigts dans ses cheveux. Il la maintint un moment serrée contre lui et laissa glisser ses mains sur son dos, ses hanches, ses seins. Puis il lui prit le visage à deux mains, murmurant son nom contre ses lèvres. Grace l'attira vers elle et l'embrassa de nouveau, presque avec fièvre.

Ethan la poussa vers le lit et se pencha sur elle, lui déboutonnant à la hâte son pyjama de soie. Grace frissonna en sentant sa peau nue se plaquer contre la sienne. Leurs corps semblèrent se fondre l'un contre l'autre.

Ils roulèrent sur le lit, s'embrassant jusqu'à ce que la tension devienne presque insoutenable. Ethan se souleva légèrement et s'accouda sur les couvertures, l'enveloppant d'un regard intense, passionné. Mais tout à coup, elle vit surgir une autre émotion dans ses prunelles sombres.

Le regret. La culpabilité ?

— Je ne peux pas faire ça, dit-il.

— Quoi ? balbutia-t-elle, humiliée par son refus.

Ethan se redressa et s'assit au bord du lit en lui tournant le dos.

— Je n'ai pas le droit de te faire ça.

Grace s'assit également, ramenant les pans de son pyjama sur sa poitrine. Elle croisa les jambes et appuya la joue sur ses genoux, sans prononcer un mot. Elle se sentait brûlante de honte et pourtant, elle désirait toujours Ethan. Son corps était vibrant de désir contenu.

— Je t'ai dit que je n'étais pas l'homme que tu croyais. Mais je t'ai délibérément trompée, Grace. Tu penses qu'à cause de ma perte de mémoire le bon côté de ma personnalité a pris le dessus. Mais ce n'est pas ça. Pas ça du tout.

— Où veux-tu en venir ?

Il se tourna sur le lit et la regarda droit dans les yeux.

— Je ne suis pas Ethan Hunter.

Grace se redressa brusquement, oubliant son pyjama déboutonné. Les pans s'écartèrent et pendant un bref instant, elle vit le regard d'Ethan se troubler. Puis il détourna les yeux en passant une main dans ses cheveux bruns.

— Je ne suis pas le Dr Ethan Hunter, répéta-t-il d'un ton ferme.

— Mais si tu n'es pas Ethan Hunter, alors qui es-tu ?

Il haussa les épaules, l'air accablé.

— Je ne sais pas. J'ignore ce que j'ai pu faire avant cet accident. Quand je me suis réveillé à l'hôpital l'autre jour, je n'avais qu'un seul souvenir : je me voyais en train de courir dans la jungle, poursuivi par des hommes en armes. Ces hommes appartenaient à la police mexicaine et ils m'ont blessé. Là.

Il posa le doigt sur le côté droit de son ventre, caché par son jean.

— Je suis tombé du haut d'un ravin. Quand j'ai repris conscience à l'hôpital et qu'on m'a dit qui j'étais, je me suis persuadé que tout ceci n'était qu'un rêve. Ma blessure au côté s'expliquait par l'appendicectomie que j'étais censé avoir subie récemment. Alors, tout s'est mis en place. Je me rappelais avoir été dans une clinique, avoir vu un homme dont le visage était masqué se tenir au-dessus de moi en brandissant une arme. Je me rappelais même avoir entendu Amy entrer et m'être battu contre mon agresseur. L'homme m'a assommé et j'en ai déduit que c'était à la suite de ce coup que j'étais devenu amnésique.

Grace l'écoutait en silence, abasourdie.

— C'est ce que tout le monde a cru aussi, dit-elle. Je ne comprends pas, Ethan. Qu'est-ce qui te fait croire que tu n'es pas Ethan Hunter ?

— Parce que si j'étais un chirurgien aussi talentueux, je n'aurais pas oublié toutes mes connaissances médicales.

— Pourquoi pas ? protesta-t-elle en fronçant les sourcils.

— Alors, comment expliques-tu que je n'aie pas oublié comment me servir d'une arme, par exemple ?

Comme pour appuyer ses paroles, il saisit le revolver de Grace et, avec des gestes rapides et précis, fit pivoter le chargeur, en ôta une balle puis remit le chargeur à sa place. Il reposa l'arme sur la table avec un frémissement.

— Beaucoup de gens savent manier les armes à feu, fit-elle observer.

Ethan plongea son regard dans celui de la jeune femme.

— Tu ne trouves pas bizarre que je sache cela, mais que je n'aie pas la moindre idée de la façon dont on manie un scalpel ?

— L'amnésie est un phénomène étrange, rétorqua-t-elle avec un haussement d'épaules.

— Ce n'est pas tout, déclara-t-il en se levant et en arpentant la chambre. L'homme dont j'ai rêvé, celui qui courait dans la jungle, j'ai éprouvé sa terreur. Je sais que c'est moi qui essayais

216

de m'échapper. Mais son visage n'est pas celui que je vois quand je me regarde dans un miroir.

La jeune femme sentit un frisson glacé lui parcourir le dos.

— Ce n'était peut-être qu'un rêve.

— Peut-être. Mais comment expliques-tu que mon placard soit rempli de chaussures qui ne me vont pas ? Il leur manque à toutes une demi-pointure.

L'appréhension sourde qu'éprouvait Grace s'amplifia.

— Tu en es sûr. Tu les as toutes essayées ?

— Toutes sans exception. Les vêtements ne me vont pas impeccablement non plus, mais j'ai attribué cela à une perte de poids consécutive à l'opération. Pour les chaussures en revanche, il n'y a pas d'explication.

Grace resserra les pans de sa veste de pyjama sur sa poitrine.

— Il doit pourtant y en avoir une.

— Et puis il y a l'arme que j'ai trouvée dans le coffre, poursuivit Ethan comme s'il ne l'avait pas entendue. Au moment où je l'ai vu, j'ai su que ce revolver m'appartenait. Je le connais, je sais m'en servir. Je me suis rendu chez un armurier et j'ai découvert que cette arme avait sans doute été fabriquée en Arkansas, par un fournisseur qui exécute des commandes pour la police, le FBI et quelques unités d'élite de l'armée et de la marine.

Grace laissa échapper une exclamation et considéra Ethan avec stupeur.

— La marine ?

Il cessa de faire les cent pas dans la chambre et la regarda un instant avant de s'approcher du lit.

Grace dut faire un effort sur elle-même pour ne pas reculer. Ethan se pencha et l'enveloppa d'un regard qu'elle ne reconnut pas. Ses yeux étaient devenus ceux d'un étranger.

— Je veux dire que je ne sais pas qui je suis. Je n'arrive pas à trouver d'explication à ce qui m'est arrivé. Les rêves que je fais, les chaussures qui ne me vont pas, l'arme qui a été fabriquée spécialement pour moi. Et même la connexion bizarre que je sens avec toi.

Il marqua un temps d'arrêt, tandis que Grace le regardait, hébétée, le souffle coupé.

— Ce que je veux dire c'est que je peux aussi bien être l'homme que tu recherches. Trevor Reardon.

12.

Grace porta une main à sa bouche et réprima un hurlement de terreur. Une sensation de nausée lui tordit l'estomac et elle ferma les yeux. Quand elle les rouvrit, Ethan avait disparu.

Il n'était pas Trevor Reardon. Elle savait que c'était impossible. Et pourtant, à l'instant où il avait prononcé ces mots terribles, le doute s'était insinué en elle. Elle n'avait pas pu retenir une exclamation horrifiée. Alors Ethan lui avait tourné le dos et était sorti de la chambre en claquant la porte.

Il lui semblait encore entendre résonner ce claquement sec dans la chambre silencieuse. Grace secoua la tête, essayant de sortir de l'engourdissement terrifiant dans lequel ses paroles l'avaient plongée. Elle ne pouvait plus ni bouger, ni penser, ni raisonner.

Les doigts gourds, elle chercha son sac à tâtons et en sortit son téléphone cellulaire. Elle appuya sur une touche pour obtenir un numéro préenregistré. La voix rauque de Myra retentit presque aussitôt dans l'appareil.

— As-tu eu les résultats du labo pour les empreintes ? demanda Grace sans aucun préambule.

Impossible de savoir si Myra avait été éveillée par la sonnerie du téléphone. Elle semblait aussi vive et alerte qu'à son habitude.

— Les empreintes relevées dans la clinique de Hunter ?

Grace entendit le claquement du briquet et comprit que Myra allumait une cigarette.

— C'est bizarre que tu appelles pour me demander ça, ajouta-t-elle en exhalant la fumée.

— Pourquoi ? s'exclama Grace, aussitôt sur le qui-vive.

Myra hésita une fraction de seconde avant de poursuivre :

— En fait, nous avons relevé plusieurs types d'empreintes dans le cabinet du Dr Hunter, pour être certains d'avoir les siennes. Mais juste pour avoir une preuve supplémentaire, nous en avons relevé aussi sur son verre d'eau, dans sa chambre d'hôpital.

Elle marqua une pause et tira longuement sur sa cigarette. Grace faillit hurler d'impatience et de frustration.

— Quand nous avons passé les empreintes à l'ordinateur sur le fichier national, reprit enfin Myra, nous avons constaté que celles du verre étaient spéciales. Elles portaient une marque distinctive.

— Tu veux dire qu'elles ne correspondaient pas à celles relevées dans le bureau de Hunter ?

— Si. Mais elles correspondaient seulement à certaines de celles que nous avions relevées là-bas. Et ce ne sont pas celles de Hunter.

Grace serra si fort le téléphone que ses phalanges blanchirent.

— Myra, tu veux dire que l'homme qui est enfermé dans cette maison avec moi n'est pas Ethan Hunter ?

Il y eut une pause interminable.

— Probablement pas, dit enfin Myra.

— Et quand comptais-tu me prévenir ?

— Le plus tôt possible. Ecoute, Grace, je viens juste de recevoir cette info et je ne comprends pas très bien ce que ça signifie. J'ai appelé Connelly. Il y a un mystère là-dessous et apparemment même lui ne sait pas tout. Il m'a dit que le labo grouillait maintenant d'agents.

— Appartenant au FBI ?

— Il ne pense pas.

— Alors qui ?

— Nous n'en savons rien. Mais si ce type n'est pas Ethan Hunter, il est quand même recherché activement par des gens qui veulent pouvoir le suivre à la trace. Cela explique sans doute pourquoi ses empreintes sont repérées sur le fichier.

— Que leur a dit Connelly ?

— Rien encore. Et il ne dira rien tant que nous ne saurons pas exactement à quoi nous sommes confrontés.

Myra marqua une autre pause et ajouta :

— Je pense qu'il est temps que tu te retires de cette affaire, Grace.

Le cœur de la jeune femme battit à tout rompre. Elle n'était pas du genre à abandonner une mission tant que celle-ci n'était pas terminée. Or, c'était loin d'être le cas.

Elle prit une longue inspiration pour se calmer et dit :

— Si nous nous retirons maintenant de l'affaire, nous aurons fait tout cela pour rien et nous ne mettrons peut-être jamais la main sur Reardon. Je ne veux pas courir ce risque. Je ne bouge pas.

— Ça risque de devenir dangereux.

— J'en suis bien consciente.

Au bout d'un moment, Myra ajouta :

— Tu as sans doute raison. Nous ignorons qui est cet homme, mais il nous a bel et bien bernés.

Après avoir coupé la communication, Grace se mit à arpenter nerveusement sa chambre. Jamais encore elle ne s'était sentie aussi désemparée au cours d'une mission.

Elle pivota brusquement sur ses talons, prit son arme sur la table de chevet et, tout en la pointant devant elle, alla fermer sa porte à clé. Non, se répéta-t-elle, ce qu'elle pensait était idiot. Ce qu'Ethan avait suggéré n'avait pas de sens. Il ne pouvait pas être Trevor Reardon. Ce monstre ne pouvait pas la duper encore une fois. Pas à ce point.

Les jambes tremblantes, elle se laissa tomber sur une chaise, face à la porte, et posa le revolver sur ses genoux. Pas question de dormir cette nuit. Ni même de s'allonger. Elle resterait assise sur cette chaise. Vigilante. Jusqu'à ce qu'un nouveau jour apporte — peut-être — des réponses aux questions qui tourbillonnaient dans sa tête.

Tu es si belle… Tu ne peux pas savoir à quel point tu es spéciale pour moi, Grace.

La voix de Trevor Reardon éveilla Grace en sursaut. Elle poussa une exclamation de terreur, saisit son revolver et le brandit devant elle.

Plusieurs secondes s'écoulèrent avant qu'elle ne comprenne qu'elle était seule dans la chambre et que la voix provenait de ses propres cauchemars. Cette voix feutrée, insinuante, qui lui chuchotait des paroles ensorcelantes. Son sang se glaça d'effroi. Elle avait reconnu avec une clarté absolue la nuance indéfinissable de cette voix qui la poursuivait depuis des années.

Grace crut qu'elle ne s'était assoupie que quelques secondes, mais quand elle jeta un coup d'œil à la pendulette posée près de son lit, elle se rendit compte qu'elle avait dormi pendant près d'une heure. Il était presque 3 heures du matin et la pleine lune illuminait le ciel. Sa lumière argentée se reflétait sur les meubles de la chambre et faisait paraître plus sombres encore les recoins plongés dans l'ombre.

Ce fut ce détail qui alerta Grace. Elle se rappelait avoir allumé la lampe de chevet. Mais celle-ci était éteinte à présent. Et un très léger parfum d'eau de toilette masculine imprégnait l'air.

Le cœur de Grace se mit à cogner dans sa poitrine. Ethan ne portait pas d'eau de toilette quand il était venu la voir un peu plus tôt. Il sortait tout juste de la douche, sa chevelure humide sentait encore le shampooing et sur sa peau elle n'avait perçu que l'odeur fraîche du savon.

Pourtant, elle distinguait très nettement à présent la fragrance poivrée d'une eau de toilette raffinée.

Très lentement, elle quitta sa chaise tout en tenant fermement son arme au creux de sa main. Elle inspecta d'abord la salle de bains, puis se dirigea vers la porte de la chambre. Elle était toujours fermée à clé. Pendant quelques secondes, elle se dit que son imagination lui jouait des tours.

Mais le chuchotement diabolique lui revint en esprit.

Tu es si belle... Tu ne peux pas savoir à quel point tu es spéciale pour moi.

Elle sut sans l'ombre d'un doute qu'elle n'avait pas rêvé. Reardon, ou quelqu'un d'autre, était entré dans cette pièce, après avoir forcé la serrure.

Comment avait-il pu pénétrer dans la maison malgré le système d'alarme ?

A moins qu'il ne se soit trouvé dans la maison depuis le début.

Grace ferma les yeux, submergée par une vague de terreur. Elle agrippa son revolver et, rassemblant son courage, ouvrit la porte. Tout en traversant le couloir, elle croyait entendre les mots qu'avait prononcés Ethan plus tôt dans la soirée.

Je ne sais pas qui je suis, Grace.

Elle descendit silencieusement l'escalier. Le salon était plongé dans un profond silence. Les ombres des feuillages donnaient à la pièce un aspect sinistre.

Je suis peut-être l'homme que tu recherches.

A pas lents, Grace avança vers la porte du bureau. Le souffle court, les nerfs prêts à craquer, elle poussa le battant.

Ethan était assis à sa table de travail. La lampe de bureau, tournée sur le côté, n'éclairait son visage qu'en partie. Quand Grace entra, il leva la tête et sourit, sans prêter la moindre attention à l'arme qu'elle pointait sur lui.

Son sourire était à la fois charmeur et démoniaque.

13.

L'homme assis derrière le bureau était Ethan, sans être vraiment lui. La ressemblance était impressionnante. Cet homme, le vrai Dr Hunter probablement, avait quelque chose de plus doux et de plus raffiné qu'Ethan. De sophistiqué, même. Le Ethan qu'elle connaissait était un homme rude, à l'allure dangereuse.

Grace ne pouvait en croire ses yeux. Elle battit des paupières. Une fois, deux fois, mais l'homme en face d'elle demeura le même.

Toutefois, quand il se leva et contourna son bureau, Grace songea que sa première impression n'était pas exacte. Il n'y avait aucune douceur dans ce regard qui exprimait surtout une mortelle détermination.

— Où est Ethan ? questionna-t-elle sans cesser de pointer son arme sur lui.

Le Dr Hunter haussa un sourcil et cette expression accentua sa ressemblance avec l'homme qu'elle appelait Ethan.

— Vous voulez parler de mon double ? Ne vous inquiétez pas, il est en sécurité. Du moins pour le moment.

Grace s'interrogea sur le sens de ces paroles. Elle s'aperçut que ses doigts tremblaient très légèrement et elle fit un effort pour se maîtriser.

— Où est-il ? répéta-t-elle d'un ton nettement plus menaçant. Je veux le voir.

— Vous allez le retrouver. Mais il faut d'abord que je règle quelques détails avec vous.

— Vous n'êtes pas en position de discuter, rétorqua-t-elle d'un ton sec. Je suis armée et au moindre mouvement de votre part…

— Oh, je vois bien, la coupa Hunter d'une voix doucereuse. Mais au cas où vous ne l'auriez pas remarqué, nous ne sommes pas seuls.

Au moment où il articulait ces mots, un homme franchit la porte derrière Grace et lui colla le canon d'un revolver sur la tempe.

— Jetez votre arme, *por favor,* dit-il avec un fort accent espagnol.

Comme Grace hésitait, le Dr Hunter reprit :

— Vous feriez mieux d'obéir. En dépit de son apparente douceur, Javier peut se montrer impitoyable. De plus, je vois mal comment vous pourriez nous tenir en joue tous les deux.

Sur ce point, il avait raison. Grace baissa son arme. L'homme qui était derrière elle la lui ôta des mains et la lança à Hunter. Puis il vint se camper face à elle, sans cesser de la menacer de son revolver. Avec un léger choc, elle reconnut ses cheveux, ses yeux noirs et sa fine moustache. C'était l'homme qu'elle avait vu dans le corridor de l'hôtel et qu'elle avait poursuivi dans la lingerie. L'homme qui avait certainement tué l'agent Huddleston.

— Vous savez déjà qui je suis, dit Hunter. Je vous présente mon confrère, le Dr Javier Salizar. C'est lui qui dirige la clinique quand je ne suis pas au Mexique. Maintenant que je souhaite me retirer des affaires, il pourra continuer d'utiliser la clinique à sa guise pour son réseau de trafic de drogue.

Le Dr Salizar agita brusquement son arme et Grace sentit son cœur faire un bond. Hunter leva une main devant lui, comme pour faire signe à son ami de refréner son impatience. Il échangea quelques paroles avec lui en espagnol, puis dit à Grace :

— Au fait, je ne connais toujours pas votre nom.

— Grace Donovan.

— Et vous appartenez au FBI, je présume ?

Elle haussa les épaules sans répondre.

— Remarquez, ça n'a aucune importance, reprit Hunter. Maintenant que vous m'avez vu, vous comprenez bien que je ne peux pas vous laisser repartir.

— C'est pour la même raison que vous avez tué Huddleston ?

Comme Hunter la regardait sans comprendre, elle précisa :

— L'agent, au Huntington Hotel.

— Ah, lui… Il m'a repéré alors que je prenais Pilar et Kendall en filature. Il n'était pas question de le laisser partir tranquillement dans ces conditions.

Réfléchissant à toute allure, Grace jeta un coup d'œil à Salizar, puis à Hunter. Elle ne voyait pas d'issue à la situation désespérée dans laquelle elle se trouvait.

— Comment êtes-vous entrés ? La maison est surveillée et sous alarme.

— Ce fut enfantin, ma chère. Ayant quitté l'hôtel avant vous, nous vous avons précédés.

— Mais Ethan m'a dit qu'il avait changé le code de l'alarme.

— En effet. Mais voyez-vous, j'ai plus d'un tour dans mon sac. Un jour, j'ai découvert à mon retour du Mexique que ma chère petite femme avait fait changer le code pour m'empêcher de rentrer chez moi. A partir de ce jour-là, j'ai demandé à la société de sécurité de prévoir un code de secours connu de moi seul. Pilar n'a jamais osé renouveler sa petite plaisanterie.

Le sourire doucereux s'évanouit, laissant place à un ricanement de mépris qui fit frémir Grace.

— Pourquoi lui avez-vous donné votre visage ? demanda-t-elle de but en blanc.

Le sourire charmeur réapparut. Hunter haussa les épaules avec nonchalance.

— Parce que je savais que Reardon reviendrait pour me supprimer. Si lui ne le faisait pas, un autre criminel que j'avais aidé à s'échapper aurait pu avoir cette idée. Au début ils sont tous très reconnaissants. Mais au bout de quelque temps ils se mettent à réfléchir. La paranoïa s'installe. Le chirurgien qui les a opérés est le seul à pouvoir les reconnaître. Tôt ou tard, l'un d'entre eux aurait cherché à me tuer. C'était fatal.

Grace fronça les sourcils.

— C'est pour cela que vous avez créé votre sosie ? Vous pensiez vraiment que ça allait marcher ? Un jour ou l'autre quelqu'un aurait fini par comprendre que ce n'était pas vous.

— A moins que le sosie en question ne soit mort avant, lança Hunter avec un autre haussement d'épaules. J'avais tout prévu. Du moins, je le croyais, ajouta-t-il, narquois. Je lui ai administré de puissants sédatifs, puis je l'ai ramené à Houston et abandonné dans mon cabinet. Ensuite, un des associés américains du Dr Salizar était censé lui tirer un coup de revolver dans le visage et arranger la scène pour que ça ressemble à une tentative de cambriolage qui aurait mal tourné. Mais votre ami a eu la malencontreuse idée de se réveiller avant le moment prévu et de se défendre contre son agresseur. Imaginez ma surprise quand j'ai découvert ce qui s'était passé ! Mon sosie était vivant, il fourrait son nez dans mes affaires et déterrait tous mes petits secrets !

— Une autopsie aurait pu prouver que cet homme ne possédait pas les mêmes caractéristiques génétiques, dit Grace.

Vous ne pouviez changer ni son groupe sanguin, ni son ADN, ni ses empreintes.

— Si mon plan avait marché, je n'avais pas de raison de le faire, rétorqua Hunter avec un brin d'impatience. Amy et lui auraient été retrouvés morts à la clinique et personne n'aurait pensé que cet homme n'était pas moi. Il avait mon passeport, mes papiers d'identité et mon alliance. Le médecin légiste se serait contenté de pratiquer une autopsie rudimentaire. J'avais pensé à tout.

Non, pas tout à fait, songea Grace. Devait-elle lui parler des empreintes relevées dans le cabinet ? Du fait qu'il était surveillé par le FBI ? Elle décida de se taire. S'il se savait coincé, Hunter n'hésiterait pas à la supprimer. Or, elle voulait croire qu'elle avait encore une chance de s'en sortir.

— Qui est-ce ? s'enquit-elle d'une voix parfaitement maîtrisée. Où l'avez-vous trouvé ?

Le Dr Hunter sourit avec satisfaction.

— Là, j'ai eu un trait de génie. Il était affilié à un des réseaux de drogue du Dr Salizar. Les autorités mexicaines lui ont tiré dessus et l'ont blessé alors qu'il tentait de leur échapper.

Affilié à un réseau de drogue ? Un goût amer envahit la bouche de la jeune femme et elle sentit ses forces faiblir. Ce n'était donc pas Trevor Reardon. Mais sans doute quelqu'un d'aussi peu recommandable que lui.

— Apparemment, il est tombé dans un ravin. Les gens du coin l'ont découvert et l'ont transporté à la clinique, expliqua Hunter. Je vous épargnerai les détails. Disons qu'il était dans un sale état et qu'il avait subi une sévère commotion cérébrale qui a provoqué son amnésie. Quand il a repris conscience, il ne se rappelait ni qui il était ni comment il était arrivé à la clinique. Je l'ai maintenu sous sédatifs afin qu'il ne se rappelle pas son séjour chez nous. Je suis revenu à Houston, le laissant dans ma clinique mexicaine, en attendant que ses blessures soient suffisamment guéries pour pouvoir commencer à reconstruire son visage. J'ai même ramené son revolver que j'ai caché dans mon coffre, afin que rien ne permette de l'identifier. L'homme avait tout oublié de sa vie passée. Je lui en ai offert une toute nouvelle, conclut-il avec un rire sardonique.

Grace leva crânement le menton et planta son regard dans celui de Hunter.

— Je suis un agent fédéral, dit-elle. Cette maison est surveillée. A la seconde même où vous tirerez sur moi, la maison sera envahie par des agents du FBI.

— Vous voulez parler des trois hommes qui planquent dans la rue ? L'ami américain de Javier s'est déjà occupé d'eux.

Grace sentit la tête lui tourner. Mon Dieu !

Hunter se tourna vers Salizar et échangea rapidement à voix basse quelques mots avec lui en espagnol. Visiblement, il y avait eu un changement de plans et malgré son attitude décontractée, Hunter était inquiet. Quand il se tourna de nouveau vers Grace, elle demanda :

— Qu'allez-vous faire de moi ?

— Oh, j'ai des projets pour vous, dit-il avec un haussement d'épaules.

Le Dr Salizar était passé derrière elle. Grace vit Hunter lui adresser un petit signe de tête. Elle pivota sur ses talons, levant automatiquement la main pour se défendre, mais il était trop tard. La crosse du revolver s'abattit sur sa nuque.

Un éclair de douleur l'aveugla et elle s'effondra sur le sol.

Quand Grace s'éveilla, le sang battait à ses tempes et toute sa tête était horriblement douloureuse. Elle était allongée, face contre terre, dans un véhicule. Une camionnette probablement, songea-t-elle tout d'abord. Mais le ronflement d'un moteur juste au-dessous d'elle, les trépidations et le bruit lui firent comprendre qu'elle se trouvait dans un avion.

Elle fit un effort pour se relever, mais quand elle essaya de bouger, elle se rendit compte qu'elle avait les mains liées dans le dos. Elle parvint tout de même à rouler sur le côté, puis à s'asseoir pour regarder autour d'elle.

Ethan était assis juste en face d'elle, le dos appuyé à la cloison, les mains attachées derrière son dos et les yeux fermés. Il était d'une pâleur de cire et tout un côté de son visage était en sang. Son immobilité était totale et pendant un bref instant, Grace fut certaine qu'il était mort.

Mais au bout d'un moment, elle le vit ouvrir les yeux et la regarder. Une expression d'intense soulagement s'imprima alors sur ses traits.

— Tu vas bien ? chuchota-t-il.

Grace hocha la tête et parvint à articuler :

— Et toi ?

— Si seulement j'arrivais à détacher mes liens, ça irait mieux.

Son front se plissa tandis qu'il se concentrait sur les cordes retenant ses poignets. Grace regarda autour d'elle. Manifestement ils se trouvaient à l'arrière de l'avion. Des bagages et des cartons étaient entassés autour d'eux. Une porte entrouverte donnait sur l'avant de l'appareil. Grace aperçut deux rangées de fauteuils et, un peu plus loin, un rideau qui cachait la cabine de pilotage.

— Que s'est-il passé ? demanda-t-elle à Ethan.

— Ils m'attendaient quand je suis redescendu de ta chambre. Ils étaient entrés dans la maison avant que nous ne soyons revenus de l'hôtel.

— Oui, je sais. Les agents qui surveillaient la villa sont morts.

Elle vit les traits d'Ethan se crisper.

— Où nous emmènent-ils ? demanda-t-elle.

— Ils ont fait allusion au Mexique. Hunter pense pouvoir s'en sortir quand même.

— Tu l'as vu ? s'enquit Grace en levant brusquement la tête.

Leurs regards se croisèrent et une lueur sombre traversa les pupilles d'Ethan.

— Je l'ai vu, confirma-t-il. Il espère encore pouvoir se débarrasser de moi pour faire croire qu'il est mort.

Qu'avait-il ressenti en se trouvant face à face avec son double ? Elle songea aux paroles de Hunter. L'homme qu'elle appelait Ethan appartenait à un réseau de trafiquants de drogue. Parviendrait-il à vivre avec la pensée qu'il était un hors-la-loi ? Et, de son côté, pourrait-elle l'accepter ?

— Nous avons fait fausse route, c'était lui le coupable et non Reardon. Hunter a engagé quelqu'un pour vous éliminer, Amy et toi, afin de se faire passer pour mort.

— C'était un bon plan, rétorqua sèchement Ethan.

— Sauf que maintenant, le FBI sait que vous êtes deux hommes différents.

Les mouvements d'Ethan dans son dos cessèrent. Il leva les yeux.

— Que dis-tu ?

— Nous avons relevé des empreintes dans ta chambre d'hôpital et nous les avons comparées au fichier national. Mon chef sait que tu n'es pas Hunter.

— Mais alors, qui suis-je ? Le sait-elle ?

La peur, l'horreur, l'espoir, l'incertitude, tous ces sentiments s'inscrivirent successivement sur son visage.

— Tu n'es pas non plus Trevor Reardon.

— Mais alors qui suis-je ?

— Je ne le sais pas encore.

Le regard d'Ethan se fit plus dur.

— Depuis combien de temps es-tu au courant ? Tu l'as su dès le départ ?

Grace secoua la tête.

— Non, non. J'ai découvert ça ce soir. Je n'ai pas eu le temps de te…

Elle ne finit pas sa phrase. Une ombre venait de s'encadrer dans l'ouverture de la porte. Grace leva la tête et vit que Hunter la regardait. Elle fut une nouvelle fois interdite par la forte ressemblance de son visage avec celui d'Ethan.

Elle jeta un coup d'œil à ce dernier et vit que son regard était rivé sur le visage du médecin. Que devait-il éprouver ? Pour la première fois, elle se demanda quel était son physique avant qu'il ait subi les interventions de chirurgie plastique.

— Je vois que vous êtes réveillés, dit Hunter en pénétrant dans la cabine à bagages.

Salizar le suivait. Il tenait une arme à la main et avait accroché le revolver de Grace à la ceinture de son pantalon kaki. Hunter alla ouvrir une caisse et en sortit trois parachutes. Il en tendit un à Salizar et en prit un autre.

— Va avertir ton copain qu'il est temps de mettre en place le pilotage automatique, dit-il à Salizar. J'espère que tu ne t'es pas trompé, Javier, et que nous pouvons lui faire confiance.

Salizar donna une des deux armes à Hunter.

— Ne t'en fais pas. C'est Julio qui me l'a recommandé.

— Comme si ça pouvait me rassurer, grommela Hunter.

Grace sentit son sang se glacer quand elle comprit quel était le plan de Hunter. Salizar, le pilote et lui allaient sauter en parachute et les abandonner, ligotés, dans l'avion. Elle se tourna vers Ethan mais ce dernier avait toujours les yeux fixés sur Hunter.

— Qui suis-je ? demanda-t-il brusquement.

Hunter arqua un sourcil et regarda Grace d'un air étonné.

— Vous ne le lui avez pas dit ?

Grace sentit le regard d'Ethan se poser sur elle et elle répondit vivement :

— Il ne m'a pas dit ton nom. Je te le jure.

Hunter éclata de rire.

— Je ne vous ai pas donné son nom, c'est vrai. Mais vous connaissez quelques détails. Ne vous inquiétez pas, ajouta-t-il en se retournant vers Ethan. Il vous reste une heure ou deux avant que l'avion ne soit à court de fuel, cela vous laissera le temps de discuter. A moins que vous ne vous écrasiez avant contre une montagne.

— Vous ne vous en sortirez pas comme ça ! cria Grace, hors d'elle. Le FBI sait que cet homme n'est pas le Dr Hunter. Nos agents ont relevé ses empreintes.

Cette révélation fit hésiter Hunter. Il considéra un moment Grace, les sourcils froncés, l'air soucieux.

— Eh bien, c'est dommage, dit-il enfin. Je ne pourrai pas passer pour mort. Il faudra que je disparaisse dans la nature en piochant dans mes comptes clandestins, en Suisse et dans les îles Caïmans. De toute façon c'est ce que j'avais l'intention de faire.

— Sauf que maintenant, vous êtes un homme recherché, déclara Grace. Un meurtrier. Le FBI vous traquera jusqu'au bout du monde. Sans parler de Trevor Reardon.

Un homme franchit la porte derrière Hunter. Il portait une casquette de base-ball rouge dont la visière dissimulait partiellement son visage. Dans une main il tenait un parachute, dans l'autre l'arme de Salizar.

— Où est Javier ? demanda Hunter par-dessus son épaule.

— Il nous rejoindra dans une minute, dit l'homme en gardant la tête baissée pour examiner le parachute.

— Tout est en ordre dans la cabine de pilotage ?

L'homme acquiesça d'un hochement de tête, puis se dirigea vers la porte ouvrant sur l'extérieur, souleva le loquet d'ouverture et fit coulisser le panneau.

Une bourrasque s'engouffra à l'intérieur de l'appareil, Grace fut déséquilibrée. Elle crispa les doigts et tenta de dénouer les liens serrés autour de ses poignets. Elle regarda Ethan du coin de l'œil.

« Tiens bon, sembla-t-il lui dire silencieusement. Nous allons nous en sortir. »

Hunter finit de boucler son parachute et se tourna vers elle.

— Ne vous inquiétez pas pour Reardon, cria-t-il pour dominer le vacarme du moteur auquel se mêlait le rugissement du vent. Il n'est pas aussi malin qu'il le croit. J'ai réussi à lui échapper. Et là où je vais, il ne me retrouvera jamais.

— Vraiment ? dit l'homme à la casquette en levant la tête.

L'espace d'un instant, Grace l'observa sans comprendre. Puis elle le vit ôter sa casquette, révélant des tempes qui commençaient à se dégarnir. Elle reconnut Danny Medford, celui qui s'était présenté, le jour de l'enterrement d'Amy, comme son ex-fiancé inconsolable.

Hunter se tourna brusquement et tendit la main pour saisir son arme. Mais Danny Medford brandit son revolver et le pointa contre sa poitrine. Les pupilles du médecin se dilatèrent d'horreur.

— Reardon !

Tout se mit brusquement en place dans la tête de Grace. Elle sentit une flèche de terreur la transpercer et se déployer en elle comme une spirale, envahissant toutes les fibres de son être.

— Vous êtes…

Les mots moururent sur ses lèvres, elle ne put prononcer le nom haï. Mais avant même qu'elle ait repris son souffle, il appuya sur la détente. La stupéfaction s'imprima sur le visage de Hunter. Il s'écroula sur le sol.

Reardon se pencha sur lui, coupa les ficelles du parachute à l'aide d'un couteau qu'il jeta ensuite sur le sol, puis il poussa le corps du médecin à l'extérieur de l'appareil.

Grace eut envie de vomir. Reardon fit quelques pas et se pencha vers elle avec un sourire sardonique. Pour la première fois, elle eut l'impression de voir au fond de ses yeux le mal qui l'habitait.

— Qu'y a-t-il, Grace ? Tu ne me reconnais pas ?

Quatorze ans auparavant, il était l'homme le plus séduisant qu'elle ait jamais rencontré. Aujourd'hui son visage avait des traits quelconques. Il avait sacrifié son apparence à la liberté.

Reardon s'agenouilla devant elle et lui caressa la joue avec le canon de son revolver. Elle vit du coin de l'œil que c'était son arme de service, celle que lui avait enlevée Salizar dans la maison du Dr Hunter. Si Reardon se trouvait maintenant en sa possession, c'est qu'il avait dû tuer le Dr Salizar dans la cabine de pilotage.

Il lui posa une main autour du cou. Elle sentit ses cheveux se hérisser sur sa nuque et se recroquevilla. Elle était secouée de nausées et de tremblements. Elle tenta de s'écarter, mais il la maintint solidement en place.

— Tu es si belle, murmura-t-il. Tu ne peux pas savoir à quel point tu es spéciale pour moi, Grace.

La gorge de la jeune femme se noua. Du coin de l'œil, elle vit Ethan qui tirait sur ses liens. Reardon le remarqua également.

— Le clone voudrait bien venir à ton secours.

Ethan leva les yeux et croisa le regard de Reardon. Son expression était dure. Reardon avait trouvé un adversaire à sa taille. Cela ne faisait aucun doute.

Il dut le sentir aussi, car il se redressa brusquement et retourna d'un pas rapide dans la cabine de pilotage. Quand il revint au bout de quelques secondes, il avait le parachute de Salizar entre les mains. Il le jeta par la porte ouverte et Grace vit le vent l'emporter en tourbillons dans l'obscurité.

Il ne restait qu'un seul parachute à bord. Reardon revint se pencher au-dessus de Grace. La jeune femme pensa que son heure était venue.

— Si vous la touchez, je vous tue, annonça Ethan.

Reardon le contempla en penchant la tête de côté.

— Vous savez qui je suis ?

L'ombre d'un sourire passa sur les lèvres d'Ethan.

— Oui. Et j'aurai d'autant plus de plaisir à vous éliminer.

Une lueur traversa les yeux de Reardon. De l'admiration ? De la peur ? Grace n'aurait su le dire. Mais il éclata d'un rire diabolique, qui la ramena quatorze ans en arrière. Elle ferma les yeux.

— J'admire votre cran, mon vieux. Mais vous n'êtes pas en position de me menacer. Et toi, Grace, imagine ma surprise quand j'ai suivi Hunter jusqu'à la clinique ce soir-là et que je t'ai vue. Après toutes ces années, nous nous retrouvions enfin. C'est le destin qui nous a poussés l'un vers l'autre, tu ne crois pas ?

Comme Grace gardait le silence, il continua :

— Grâce à toi, je peux faire d'une pierre deux coups, me débarrasser de Hunter et de toi en même temps.

Il se tourna vers Ethan.

— Quant à vous, ajouta-t-il, vous avez vu mon nouveau visage et je crains que cela ne signe votre arrêt de mort.

Il se dirigea vers la porte de la cabine. Alors qu'il s'apprêtait à enfiler les bretelles de son parachute, il regarda Grace avec un rictus démoniaque :

— Il ne me reste plus qu'à m'occuper de ma vieille amie Myra.

Grace tira de toutes ses forces sur ses liens. Elle ne pouvait pas laisser Reardon s'échapper. Tout à coup, elle aperçut sur le sol le couteau qu'il avait jeté avant de pousser le Dr Hunter dans le vide.

— Oh, encore une chose, dit-il. Au sujet de la dernière nuit que nous avons passée ensemble. Pendant que tu étais dans la salle de bains, j'ai téléphoné à ton père. La dernière chose à laquelle il a pensé avant de mourir, c'est que sa précieuse petite fille était avec moi. Je voulais que tu le saches.

Une fureur aveugle s'empara de Grace. Elle voulut se jeter sur Reardon, mais Ethan la précéda. S'étant dégagé de ses liens, il bondit sur le tueur avec tant de force et de rage qu'ils manquèrent basculer ensemble dans le vide. Reardon laissa tomber son parachute qui glissa sur le sol de la cabine et disparut à l'extérieur.

Les deux hommes roulèrent à terre, mais Reardon eut le temps de soulever le bras avant qu'Ethan ait pu s'emparer de son arme. Ethan lui agrippa le poignet et le plaqua brutalement sur le sol. Le coup obligea Reardon à lâcher le revolver qui valdingua à l'autre bout de la cabine.

Le combat qui suivit fut terrible. Les deux hommes étaient de force égale, et leur détermination identique.

Grace parvint à mettre la main sur le couteau. Elle commença à entailler maladroitement les cordes qui lui maintenaient les poignets.

Le cœur au bord des lèvres, elle vit Reardon entraîner Ethan près de la porte ouverte. Il lui assena un coup de pied et manqua le projeter à l'extérieur. Ethan s'agrippa au cadre métallique de la porte, le vent faillit lui faire lâcher prise. Au prix d'un effort surhumain, il parvint à reprendre son équilibre et à se hisser en partie à l'intérieur de l'appareil. Mais Reardon s'était redressé et se tenait debout au-dessus de lui, arc-bouté contre la carlingue.

Dans un effort désespéré, Grace réussit à couper ses liens. Le couteau lui entama la chair, répandant son sang, mais elle

238

était libre. D'un mouvement fluide, elle roula sur le sol et saisit le revolver à l'instant même où Reardon s'apprêtait à repousser Ethan d'un coup de pied.

Elle se mit à hurler, son cri dominant le vacarme. Reardon fit volte-face. Elle vit ses yeux s'élargir de surprise. Sans hésiter, elle appuya sur la détente. La force de l'impact, combinée à celle du vent, projeta Reardon en arrière. Elle l'entendit pousser un hurlement de terreur et elle eut le temps de voir une tache écarlate se répandre sur sa poitrine. Puis il disparut, happé par le vide.

En un éclair, elle gagna la porte à genoux et aida Ethan à se hisser à l'intérieur de l'appareil. Ils demeurèrent un long moment allongés sur le sol, haletants. Puis Grace scruta l'obscurité.

— Il est mort, dit Ethan. Tu l'as eu.

— J'espère que tu as raison, murmura-t-elle, l'air incertain, j'espère que tu as raison.

Ils se dévisagèrent en silence. Puis Grace demanda :

— Je suppose que tu ne sais pas piloter un avion ?

Ethan déclara l'air grave, presque étonné lui-même :

— Justement, je pense que si.

Ils se trouvaient dans un aéroport, près de la frontière du Texas. Enfermée dans un des bureaux de la police locale, un appareil de téléphone à la main, Grace mettait Myra au courant des derniers développements de l'affaire.

Quand elle eut terminé, Myra s'exclama :

— Après toutes ces années, tu as réussi à l'avoir ! Comment te sens-tu ?

Grace n'avait pas encore eu le temps d'analyser ses sentiments. Ce qui la préoccupait le plus en ce moment, c'était l'incertitude concernant son avenir et celui d'Ethan.

— Et de ton côté, que se passe-t-il ? s'enquit-elle d'un ton urgent. Tu as découvert quelque chose au sujet des empreintes ?

Il y eut un silence, puis Myra déclara :

— Apparemment c'est la DEA qui a fiché ses empreintes, Grace. Le département de lutte contre la drogue. De toute évidence, cet homme est recherché depuis longtemps. La DEA exige qu'on le lui remette sur-le-champ.

Grace inspira longuement avant de demander :

— Tu en es sûre ? Il y a peut-être une erreur.

— Il n'y a pas d'erreur. Il faut le ramener ici, Grace. Tu n'as pas le choix.

Ethan comprit en voyant l'expression de Grace que la discussion ne s'était pas passée comme elle le souhaitait.

— Tu as parlé avec ton chef ?

Elle hocha la tête, voulut dire quelque chose, mais changea d'avis et se tourna pour regarder un bar à l'aspect crasseux de l'autre côté de la rue, d'où s'échappait une musique assourdissante.

— Allons faire un tour, suggéra-t-elle. C'est trop bruyant par ici.

Ils marchèrent le long du trottoir jusqu'à ce qu'ils aient atteint les abords de la ville. La nuit semblait encore plus sombre au-dessus du désert. Seules quelques étoiles et une lune pâle adoucissaient l'allure désolée du paysage. Dans quelques heures, l'aube apparaîtrait. Mais pour l'instant, le jour semblait encore très loin.

Soudain Ethan déclara :

— Je vais retourner là-bas, Grace. Dans cette clinique perdue au milieu de la jungle. Il faut que je découvre qui je suis et ce que j'ai fait.

— Ethan, attends !

Il pivota et son regard plongea dans les yeux bleus de Grace.

— L'appel à Houston n'est pas en ma faveur, n'est-ce pas ?

Elle eut un instant d'hésitation, songea à nier. Puis elle ferma les yeux et dit :

— Ça n'a pas d'importance.

— Si, ça en a beaucoup. Tu es un agent du FBI, Grace. Comment peux-tu prétendre que ce que j'ai pu faire n'a aucune importance ?

— Tu ne seras pas en sécurité dans la jungle, dit-elle en le regardant. Si tu reviens avec moi...

— Tu essaieras d'obtenir l'indulgence des autorités ?

Il secoua la tête et poursuivit :

— Je ne suis pas au-dessus des lois, Grace. Si j'ai commis des actions viles, je les assumerai. Mais avant tout, je veux découvrir la vérité. Tu comprends ?

Ce qu'il lui demandait était contraire à l'éthique de sa profession. Ethan sentit une vague de culpabilité le traverser à la pensée de ce qu'il lui faisait endurer. Mais il n'y avait pas d'autre moyen…

Il s'écarta d'un pas et vit la confusion apparaître dans le regard de Grace. Puis l'incrédulité quand il prit son revolver à sa ceinture.

Il fit encore un pas en arrière, s'enfonçant dans l'obscurité, tout en pointant son arme sur elle.

— C'est la seule solution, Grace. Alors, n'essaye pas de me suivre.

C'était une prière plutôt qu'une menace. Pendant une fraction de seconde, il perçut sa résistance.

— Ceci n'est pas un adieu, affirma-t-il.

— Alors pourquoi ai-je l'impression que nous ne nous reverrons jamais ? murmura-t-elle avant de tourner les talons et de s'éloigner.

Assise dans la pièce minuscule que Myra avait réquisitionnée dans les locaux de Houston, Grace essayait d'ignorer la tension palpable qui régnait. Deux hommes, vêtus de costumes sombres, l'encadraient, tandis que Myra était assise face à elle, derrière un bureau métallique.

Myra croisa les bras sur le bureau.

— S'il te plaît, Grace. Répète à MM. Mackelroy et Delaney de la DEA ce que tu m'as raconté.

Grace les dévisagea l'un après l'autre et haussa les épaules.

— Il s'est enfui.

Mackelroy, le plus grand et le plus massif des deux agents, contourna la chaise de Grace et alla s'asseoir au bord du bureau de Myra.

— Comment ?

— Il m'a menacée de son arme.

Elle vit l'incrédulité se peindre sur le visage de l'agent.

— Dites-nous exactement comment ça s'est passé.

Grace obéit, laissant de côté ce qu'elle jugeait trop personnel pour être raconté à des étrangers. Ce qui s'était passé entre elle et Ethan ne les regardait pas.

Mackelroy se pencha sur elle.

— Avez-vous une idée de l'endroit où il se trouve en ce moment ? Il faut que nous le retrouvions au plus vite.

Grace soutint son regard sans ciller.

— Pourquoi voulez-vous absolument le capturer ? Qu'a-t-il fait ?

Les deux hommes échangèrent un regard. Puis Mackelroy reprit, d'un ton où perçait l'anxiété :

— Son nom est Tony Stark. C'est un de nos agents en mission secrète. Il vit depuis deux ans sous un nom d'emprunt et a réussi à infiltrer un réseau de trafiquants de drogue au Mexique.

Grace crut qu'elle n'avait pas bien entendu. Abasourdie, elle regarda Mackelroy en silence. Puis elle balbutia, d'une voix sourde :

— C'est un agent de la DEA ?

Mackelroy acquiesça.

— La dernière fois que nous avons eu de ses nouvelles, il venait d'être arrêté par la police locale qui travaillait main dans la main avec un réseau rival du sien. Il est parvenu à leur échapper, mais ensuite il s'est volatilisé dans la nature. Nous avons tout d'abord pensé qu'il était mort. Mais suite à votre enquête, ses empreintes ont été reconnues par l'ordinateur. Vous connaissez le reste de l'histoire.

Ces explications firent à Grace la même impression qu'un coup de poing en pleine poitrine. Elle se sentit incapable de respirer ou de prononcer un mot.

— Nous aimerions vous aider, naturellement, déclara Myra. Mais Grace vous a dit tout ce qu'elle savait. Stark est en train d'errer quelque part au Mexique, à la recherche de sa mémoire. Si c'était un de mes agents, je n'hésiterais pas. Je partirais à sa recherche sans perdre une seconde.

A la fin de la semaine, Grace avait regagné Washington. Elle avait remis ses rapports et assisté à la conclusion de l'enquête.

Debout derrière la fenêtre de son appartement, elle contemplait la ville. C'était un vendredi, il était plus de 20 heures et les rues commençaient à s'animer.

La pluie venait de s'arrêter et une brise légère soufflait depuis le Potomac. Le ciel s'assombrissait peu à peu et les tons orangés du coucher de soleil se striaient de pourpre.

Grace ne s'était jamais sentie aussi désemparée après la conclusion d'une enquête. Trevor Reardon était mort. Pour la première fois depuis quatorze ans, elle sentit le poids de la culpabilité qui pesait sur ses épaules s'alléger un peu. Elle savait que maintenant elle allait pouvoir oublier le passé, même si sa famille ne cesserait jamais de lui manquer.

Mais d'une façon étrange, le vide qu'elle éprouvait s'était creusé. Sa solitude lui apparaissait enfin dans toute son ampleur et elle s'apercevait qu'elle avait tout sacrifié à son but, celui d'éliminer Reardon. Elle n'avait pas de foyer, pas de famille. Pas d'homme dans sa vie.

Pas de perspective qui l'aiderait chaque jour à se lever pour affronter la vie.

Tout cela c'était la faute d'Ethan, songea-t-elle avec un peu d'amertume. C'était Ethan qui lui avait fait comprendre ce qui lui manquait. Ce à quoi elle avait renoncé. Ethan lui avait rappelé qu'elle était encore capable d'aimer.

Les yeux fermés, elle appuya son front sur la vitre glacée. Où se trouvait-il à présent ? Etait-il en sécurité ? Ses collègues de la DEA l'avaient-ils retrouvé ? Lui avaient-ils dévoilé sa véritable identité ? Son travail ?

La sonnerie de la porte d'entrée la tira de ses réflexions et elle alla répondre à contrecœur. C'était sans doute Myra qui faisait une dernière tentative pour la dissuader de donner sa démission. Mais il était temps que sa vie change de direction. Elle allait reprendre des études pour devenir avocate, puisque c'était ce qu'elle avait toujours rêvé de faire.

— Je ne suis pas revenue sur ma décision, Myra, déclara-t-elle en ouvrant la porte.

Mais ce n'était pas Myra qui se tenait sur le seuil.

Ethan portait un jean, une chemise sombre et un imperméable négligemment jeté sur ses épaules. Ses cheveux étaient brillants d'humidité. Il la regarda, l'air hésitant, et murmura :

— Je n'étais pas sûr d'avoir frappé à la bonne porte.

Grace recula pour le laisser entrer.

— Comment m'as-tu trouvée ?

— Mes copains du bureau de Houston m'ont aidé à retrouver ta piste.

— Alors, tu es au courant ? s'enquit-elle avec une pointe d'anxiété dans la voix.

— Deux agents m'attendaient à la clinique de Hunter, au Mexique. Quelqu'un a dû les mettre sur la piste…

Il posa sur elle un regard appuyé, mais Grace détourna les yeux et se dirigea vers le salon.

Elle désigna le canapé d'un geste de la main, mais ils demeurèrent tous deux debout, face à face.

— Comment vas-tu, Ethan ?

Il sourit et Grace eut le souffle coupé. Il était si différent, tout à coup. Un homme nouveau.

— Je m'appelle Tony, maintenant.

Elle sourit et s'aperçut que son cœur battait la chamade.

— Je sais. Mais il faudra quelque temps pour que je m'y habitue.

Il la regarda se diriger vers la fenêtre. Elle se tint là, le dos tourné aux lumières de la cité qui scintillaient, et il la trouva soudain encore plus belle que dans ses souvenirs. Il alla se camper à côté d'elle et, ensemble, ils contemplèrent la ville.

— Je n'ai pas recouvré la mémoire, dit-il au bout d'un moment. Seulement des bribes qui resurgissent par-ci, par-là. Il a fallu qu'on m'explique beaucoup de choses. J'ai vu des photos de moi, avant que Hunter ait modifié mon apparence.

— Ton visage est un beau visage.

— Tu ne penses pas à… lui, quand tu me regardes ? Tu n'éprouves pas de répulsion ?

Elle posa très légèrement la main sur sa joue et murmura :

— Je te vois, toi. Personne d'autre. Les apparences sont si superficielles. C'est ce que tu es au fond de toi qui compte.

Il la contempla et dut faire un effort sur lui-même pour ne pas passer les doigts dans ses cheveux soyeux. Grace se retourna vers la fenêtre et s'aperçut qu'il contemplait son reflet dans la vitre.

— Ce doit être étrange de découvrir des choses sur soi-même. Tu dois te poser des millions de questions.

— Il y en a une surtout qui me tracasse et à laquelle je voudrais absolument donner une réponse.

Elle le regarda dans les yeux et il fut subjugué par la beauté de ses pupilles bleues. Il ne l'avait encore jamais trouvée aussi magnifique.

— Quelle question ? dit-elle.

246

Il posa les doigts sur ses cheveux, les caressa et la vit fermer un instant les yeux.

— Tu ne devines pas ?

Elle reprit son souffle avant de demander :

— Tu es marié ?

— C'est la bonne question, en effet.

— Et alors ? questionna-t-elle avec impatience.

— Je ne suis pas marié. Je ne l'ai jamais été, dit-il douce-ment.

— Le seras-tu un jour ? ajouta-t-elle avec un brin de défi dans les yeux.

— C'est à toi de me le dire.

Il lui prit le visage à deux mains, laissa ses doigts glisser dans ses cheveux auburn et l'embrassa. Il sentit ses lèvres trembler légèrement sous les siennes et s'émerveilla de sa réaction. Elle pouvait affronter un tueur dangereux sans manifester sa peur, mais elle tremblait quand il l'embrassait. Il recula un peu et chuchota :

— Qu'allons-nous faire ?

— Tu pourrais m'embrasser encore.

Il s'exécuta. Et quand leurs lèvres se séparèrent, elle ajouta :

— Il nous restait quelque chose à finir, tu te rappelles ?

— Nous avons toute la nuit, murmura-t-il, fasciné par son audace. Je n'ai pas besoin de repartir. Rien ni personne ne m'attend.

— Moi non plus, déclara-t-elle en lui nouant les bras autour du cou. Je n'appartiens plus au FBI, j'ai donné ma démission aujourd'hui.

— Et moi, j'ai préféré démissionner de la DEA, car sans mémoire, je ne pourrai plus être au meilleur de mes capacités.

Grace soupira, mais son soupir n'était pas un regret, plutôt un soulagement.

— Alors, qu'allons-nous faire ? lui demanda-t-elle.

Il lui enlaça la taille et l'attira contre lui.

— Nous avons toute la vie pour y réfléchir. Mais il y a une chose dont je suis sûr, Grace. Je veux vivre avec toi, sans me demander si les minutes que nous vivons sont les dernières. Et je veux te connaître, apprendre tout ce qui te concerne.

— Tout ça ? Et moi qui croyais que tu voulais juste passer une nuit dans mon lit !

— Cette nuit est le commencement, déclara-t-il avec un air faussement sérieux. Et crois-moi, cela va être un sacré début !

Grace ouvrit la bouche, mais avant qu'elle ne puisse prononcer un mot, Tony lui ferma les lèvres d'un baiser.

Chère lectrice,

Vous nous êtes fidèle depuis longtemps?
Vous venez de faire notre connaissance?

C'est pour votre plaisir que nous avons
imaginé un rendez-vous chaque mois
avec vos auteurs préférés, vos
AUTEURS VEDETTE dans les
collections Azur et Horizon.

Les AUTEURS VEDETTE vous
donneront rendez-vous pour de
nouveaux livres vedette.

Pour les reconnaître, cherchez
l'étoile... Elle vous guidera!

Éditions Harlequin

HARLEQUIN

LE FORUM DES LECTEURS ET LECTRICES

CHERS(ES) LECTEURS ET LECTRICES,

VOUS NOUS ETES FIDÈLES DEPUIS LONGTEMPS?

VOUS VENEZ DE FAIRE NOTRE CONNAISSANCE?

SI VOUS AVEZ DES COMMENTAIRES, DES CRITIQUES À
FORMULER, DES SUGGESTIONS À OFFRIR, N'HÉSITEZ
PAS... ÉCRIVEZ-NOUS À:
> LES ENTERPRISES HARLEQUIN LTÉE.
> 498 RUE ODILE
> FABREVILLE, LAVAL, QUÉBEC.
> H7R 5X1

C'EST AVEC VOS PRÉCIEUX COMMENTAIRES QUE NOUS
ALLONS POUVOIR MIEUX VOUS SERVIR.

DE PLUS, SI VOUS DÉSIREZ RECEVOIR UNE OU
PLUSIEURS DE VOS SÉRIES HARLEQUIN PRÉFÉRÉE(S)
À VOTRE DOMICILE, NE TARDEZ PAS À CONTACTER LE
SERVICE D'ABONNEMENT; EN APPELANT AU
(514) 875-4444 (RÉGION DE MONTRÉAL) OU 1-800-667-4444
(EXTÉRIEUR DE MONTRÉAL) OU TÉLÉCOPIEUR
(514) 523-4444 OU COURRIER ELECTRONIQUE:
AQCOURRIER@ABONNEMENT.QC.CA OU EN ÉCRIVANT À:
> ABONNEMENT QUÉBEC
> 525 RUE LOUIS-PASTEUR
> BOUCHERVILLE, QUÉBEC
> J4B 8E7

MERCI, À L'AVANCE, DE VOTRE COOPÉRATION.

BONNE LECTURE.

HARLEQUIN.

VOTRE PASSEPORT POUR LE MONDE DE L'AMOUR.

<u>COLLECTION HORIZON</u>

Des histoires d'amour romantiques qui vous mènent au bout du monde!

Découvrez la passion et les vives émotions qu'apportent à la Collection Horizon des auteurs de renommée internationale!

Captivantes, voire irrésistibles, ces histoires d'amour vous iront assurément droit au coeur.

Surveillez nos trois nouveaux titres chaque mois!

♋ ♊ ♋ ♌ ♍

69 **L'ASTROLOGIE EN DIRECT** ♒
TOUT AU LONG
DE L'ANNÉE.

(France métropolitaine uniquement)
Par téléphone 08.92.68.41.01
0,34 € la minute (Serveur SCESI).

Composé et édité par les
*éditions*Harlequin
Achevé d'imprimer en juin 2004

BUSSIÈRE
GROUPE CPI

à Saint-Amand-Montrond (Cher)
Dépôt légal : juillet 2004
N° d'imprimeur : 42961 — N° d'éditeur : 10663